DAVID O. MCKAY LIBRARY
P9-AGT-033

# Borrones y borradores

SERIE MANATÍ
Poesía / Ensayo

TÍTULOS PUBLICADOS

Margarita Peña, *Literatura entre dos mundos* (Ensayos)
Noé Jitrik, *Historia de una mirada* (Ensayo)
Francisco Segovia / Silvia González de León, *Nao* (Poesía / Fotografía)
Luis Suñén, *El ojo de Dios* (Poesía)
Varios, *La Cervantiada* (Edición de Julio Ortega)
Ikram Antaki, *Epiphanios* (Poesía)
Ludovik Osterc, *Breve antología crítica del cervantismo* (Ensayo)
Margo Glantz, *Borrones y borradores* (Ensayos)

Margo Glantz

# Borrones y borradores

## REFLEXIONES SOBRE EL EJERCICIO DE LA ESCRITURA (ENSAYOS DE LITERATURA COLONIAL, DE BERNAL DÍAZ DEL CASTILLO A SOR JUANA)

Coordinación de Difusión Cultural
Dirección de Literatura / UNAM
Ediciones del Equilibrista

MÉXICO, 1992

Primera edición, 1992

Ciudad Universitaria 04510, México D.F.
ISBN: 968-36-2332-8

Para mis hijas, Alina y Renata

## ADVERTENCIA

Los textos que siguen han sido producto de varias revisiones. Algunos fueron escritos para ser leídos como conferencias o como ponencias en congresos múltiples. Otros forman parte de trabajos más largos. Los he reunido, corregido, a veces aumentado o acortado; constituyen una reflexión sobre un acto implícito en la producción de la escritura, el que se ejerce al confeccionar el borrador. ¿Qué valor tiene –¿qué significa, qué denota?– el hecho material que organiza la escritura? El acto mismo de "meter la mano" sobre el papel revela quizá un proceso más complicado del que podemos suponer a simple vista. Reflexionar sobre él puede remitirnos a algo más profundo y arrojar alguna luz sobre el problema de los colonizados, los de este Tercer Mundo. A mí me interesa analizar el proceso de la conquista de la escritura, un derecho del que se ha privado a los colonizados, y entre ellos a las mujeres. La destrucción se repara mediante la contrahechura del texto, la memoria inscribe en el cuerpo un palimpsesto y la interpretación –la figura del *lengua*– prepara una nueva lectura de la realidad "otra" (para utilizar un término que ya está empezando a desfigurarse, a manosearse). En ese proceso, las mutilaciones, las tachaduras, los borrones modifican el cuerpo del que las produce y alteran el concepto de escritura, pero a la vez la edifican.

# PRIMERA PARTE
# LA CONQUISTA Y EL FRACASO

# I

# INTRODUCCIÓN: LAS VICISITUDES DEL TEXTO

En este espacio, trataré de reflexionar sobre una cuestión que, aunque abundamente tratada por varios investigadores, no ha sido quizá abordada desde el ángulo especial que ahora verbalizaré. Me ocuparé en este libro de dos periodos de la historia colonial, primero de la Conquista, luego del Virreinato, y en especial de Sor Juana Inés de la Cruz. Debo advertir que he de concentrarme en un punto esencial que a primera vista podría parecer banal; es, sin embargo, el lazo de unión de esta reflexión: analizo el problema de la escritura propiamente dicha, y el proceso manual necesario para ponerla en ejecución, además de las consecuencias que esa acción produce, lo que en buen castellano se llamaría un borrador, el cual, para existir, deberá estar compuesto de letras y de borrones, palabra significativa usada muy frecuentemente tanto en el siglo XVI como en el XVII. Me parece fundamental reflexionar sobre ese acto de escritura implícito en la tarea de exponer las ideas, tacharlas después, hacerlas desaparecer y expresarlas mejor o encubrirlas en caso de que resulten peligrosas. Lo que equivale a decir que iniciaré este ensayo hablando de un sentido literal de la escritura y la continuaré con su sentido más aparente que es, con todo, su sentido figurado. Ese proceso nos conduce a la manera en que el llamado Primer Mundo ha manejado, o recibido, lo que se produce en Iberoamérica.[1]

El debate entablado en su época entre los autores de varias de las crónicas de Indias sobrepasa, como bien lo sabemos, el campo de batalla, en su literalidad más flagrante. La acción originada por esas luchas reales –históricas–, suele perpetuarse en el tiempo y en la escritura. Las crónicas de la conquista mantienen con sorpresiva vigencia su combatividad: además de revivir en la textualidad las acciones guerreras, su contenido ha sido objeto de incesante polémica cuando tuvieron la suerte de ser publicadas y cuando más tarde, por razones de estado, se pensó que eran peligrosas, fueron censuradas: ejemplos irrefutables serían las *Cartas de Relación* de Cortés,[2] la *Historia de la Conquista de México* de Francisco López de Gómara[3] o los manuscritos de Sahagún. Algunos autores vieron su obra parcialmente publicada –Las Casas, Fernández de Oviedo– y muchos no tuvieron siquiera la oportunidad de verla impresa durante su vida: Bernal Díaz del Castillo,[4] Francisco Hernández, etc. Otros cronistas fueron saqueados y refundidos sin que se mencionara su origen, cosa en parte normal en ese tiempo, pero también consecuencia de un acto político de la corona española, como sucedió en el caso de varios misioneros: Fray Andrés de Olmos, Motolinía, Mendieta, cuya obra no fue publicada o fue censurada, pero de lo que es posible reconocer fragmentos en otra crónica, por ejemplo la *Monarquía Indiana* de Torquemada, publicada, a principios del siglo XVII con la licencia de impresión reglamentaria.[5] Ya en el XIX, época en que algunas crónicas fueron reeditadas, o impresas por primera vez, se suscitó una polémica que provocó violentas reyertas; para finalizar, debe mencionarse el hecho de que una parte importante del material concerniente a esa época aún no ha sido publicado ni estudiado –algunos manuscritos del propio Sahagún–, y numerosos textos de primordial importancia histórica no han sido objeto de ediciones críticas. La batalla iniciada en 1492 está muy lejos de acabarse este año en que se celebra o execra el Quinto Centenario. La misma historia de la recepción de las crónicas da cuenta de enconadas y numerosas batallas en las que los investigadores se enfrascan: se producen como resultado diálogos sangrientos cuyas connotaciones políticas son evidentes.

A un combate semejante se entregó, en el siglo XVI, Bernal Díaz del Castillo, a partir del año de 1575, fecha en que envió al Consejo de Indias el manuscrito de su Verdadera Historia, concebida en parte como una forma de borrar –o enmendar por lo menos– la crónica escrita por Francisco López de Gómara sobre la conquista de México, y de refilón las de Jovio e Illescas, sus supuestos imitadores, y donde, también, de manera velada, ataca a Cortés (muerto en 1547) y sus Cartas de Relación. En la advertencia del autor a sus lectores, incluida en la edición de Carmelo Sáenz de Santa María –producto de un cotejo de la versión conocida como el *Manuscrito Guatemala*– el viejo soldado se expresa así:

> Yo, Bernal Díaz del Castillo, regidor de esta ciudad de Santiago de Guatemala, autor de esta muy *verdadera* y *clara* historia, la acabé de sacar a la luz [...] en la cual historia hallarán cosas muy notables y dignas de saber: y también van declarados los *borrones* y escritos viciosos en un libro de Francisco López de Gómara, que no solamente va *errado* en lo que escribió de la Nueva España, sino que también hizo errar a dos famosos historiadores que siguieron su historia, que se dicen Doctor Illescas y el Obispo Pablo Jovio... Y

> además de esto cuando mi historia se vea, dará fe y claridad en ello; la cual *se acabó de sacar en limpio de mis memorias y borradores* en esta muy leal ciudad (Bernal, p. 1).

En este párrafo es obvio que la palabra borrón tiene un sentido figurado: el *borrón* que, según el *Diccionario de la Real Academia*, es, 1. la gota de tinta que cae o la mancha de tinta que se hace en el papel; 2. el borrador o escrito de primera intención y 3. en un sentido figurado, denominación que por modestia (y yo diría que durante el barroco sobre todo por cortesanía) suelen dar los autores a sus escritos. En el párrafo de Bernal que recién inscribí, la palabra *borrón* sería el sinónimo expreso de vicio y de error, también de oscuridad y de confusión, es decir, lo exactamente opuesto a la claridad que emana de un texto cuya función específica es destacar la verdad, efecto que no procede de un "buen estilo" ni de una "gran retórica". Ambas cualidades están presentes en el texto de López de Gómara, pero son recursos mentirosos. Bernal carece de "estilo" y de "retórica" pero sus escritos dan cuenta estricta de los acontecimientos tal y como sucedieron, su única verdad depende de la *buena relación* de los hechos, como nuestro ladino cronista tiene el buen cuidado de subrayar en su advertencia. Bernal pone al servicio de la verdad su mal estilo, o mejor, su estilo coloquial –casi podríamos llamarlo oral–; él lo utiliza como un arma contra el estilo elegante, cortesano, reglamentado de Gómara. Al principio confiesa: "Cuando leí su gran retórica, y como mi obra es tan grosera, dejé de escribir en ella, y aún tuve vergüenza que pareciese entre personas notables..." (Bernal, p. 42). Una relectura cuidadosa abulta los defectos y permite destacar un hecho para él primordial: el buen estilo, la gran retórica son artes nefandas si ocultan la verdad; por ello opone la estética a una ética. Sabemos bien que su verdad es lo que a él le parece conveniente destacar para su beneficio, actitud rutinaria, por otra parte, entre los conquistadores, así se trate de los que triunfan como Cortés o de quienes fracasan como Álvar Núñez Cabeza de Vaca. Utilizada en este contexto, la palabra *borrón* se adecua perfectamente a otras de las definiciones que la Academia le da al verbo borrar: 1. hacer rayas horizontales o transversales sobre los escritos para que no pueda leerse o para dar a entender que no sirve. 2. hacer que la tinta se corra y desfigure lo escrito. 3.– hacer desaparecer por cualquier medio lo representado.

Esa crónica que Bernal menosprecia y desenmascara mediante un epíteto vergonzoso, el de borrón, le servirá a la vez como punto de partida para iniciar un ejercicio de escritura con el cual pretende tachar –hacer que desaparezcan– los relatos amañados y mentirosos y sustituirlos por hechos verdaderos, claros, dignos de fe, limpios. Hay que subrayar que el termino limpieza es usado por Bernal en su sentido estrictamente literal, *sacar en limpio* [...] *mis memorias y borradores*, es decir, la labor de mano implícita en la tarea de corregir, ordenar y escribir con letra clara –sin borrones– el manuscrito que ha de mandarse al Consejo de Indias. Pero al asociarlo en el texto, en un párrafo inmediatamente anterior, con la siguiente frase: "Y además de esto cuando mi historia se vea, dará fe y claridad en ello", Bernal entra con naturalidad en un terreno ético en el que su escritura se vuelve luminosa, porque está respaldada por la constancia definitiva de una religiosidad.

Gómara, insiste Bernal, "no acierta en lo que escribe"; sus relatos provienen de datos falseados, transmitidos oralmente por quienes desean que esos datos se organicen de cierta manera, siguiendo un orden especial y presentando los acontecimientos "de tal arte... que place mucho a sus oyentes", para que perdure así la versión de lo "que él dice que hacíamos", en beneficio del propio Cortés, el disparador del relato gomariano, según Bernal, quien, disimulado detrás del pronombre de la primera persona del plural –"en todo lo engañaron"–, colectiviza la información para beneficiarse y hacer que su prestigio se desmesure, a costa del de los demás. Bernal tenía probablemente razón, Fray Bartolomé de las Casas así lo entiende cuando se refiere despectivamente a Gómara como criado de Cortés. Por su parte, Georges Baudot hace mención de un documento en donde se atestigua "que la desconfianza de la corona respecto a Gómara fue tan radical que después de la muerte de este último, Felipe II mandó recoger todos sus archivos, en septiembre de 1572", y dentro de esos archivos, se especifica allí, "mandaron traer los papeles que dejó tocantes a historia..." (Baudot, p. 496). Con ello se demuestra que para la corona esos documentos denotaban una forma de peligro real, una estrategia política contra su propia autoridad.[6]

Al ser manejado como el único sustantivo adecuado para denunciar la doblez y mala fe con que el capellán de Cortés escribió su relación, el significado figurado de la palabra borrón –tal y como aparece reiteradamente en Bernal Díaz– se utiliza de manera estratégica para contrastarlo con una corporeidad derivada de una escritura compuesta por un testigo de vista, es decir, la escritura de aquel que ha puesto todo el cuerpo al servicio del rey:

> Y sobre lo que ellos escriben –Gómara, Jovio, Illescas–, diremos lo que en aquellos tiempos nos hallamos ser verdad, como *testigos de vista*, e no estaremos hablando las contrariedades y falsas relaciones de los que escribieron de oídas, pues sabemos que la verdad es cosa sagrada... (Bernal, p. 45).

A pesar de que las dos crónicas que hemos venido manejando entran en un mismo sistema de representación, el de la escritura, la cercanía que Bernal tiene con la corporeidad lo relaciona con la pintura o con una actividad teatral en la que la palabra va unida totalmente a la expresión corporal, cosa bastante habitual en una sociedad que de manera importante transmitía sus conocimientos de manera oral, colocando a la escritura en una jerarquía especial, muy alta, distinta de la ordinaria, es decir, la relación oral que trasmite los acontecimientos. Así se deduce de la cita recién leída: la verdad –si se escritura– es sagrada. Parecería que la vivacidad con que Bernal describe las situaciones permitiera visualizarlas, para acoplarlas a la reivindicación implícita en su texto, el producto de un combatiente de la Conquista de México, motivo por el cual demanda mercedes al rey. No basta con recordar nítidamente las batallas, los nombres de los participantes, su jerarquía dentro del ejército y sus conductas, es necesario dar una imagen verdadera de su apariencia:

> Acuérdome que cuando estábamos peleando en aquella escaramuza, que había allí unos prados algo pedregosos, e había langostas que cuando peleábamos nos daban en la cara, y como eran tantos flecheros, y tiraban tanta flechas como granizos, que parecían que eran langostas que volaban, y no nos rodelábamos y la flecha que venía nos hería, y otra veces creíamos que era flecha y eran langostas que venían volando: fue harto estorbo (Bernal, p. 27).

La escritura de Bernal es pues una escritura corpórea, proviene no sólo de su mano –"antes de meter más la mano en ésto"–; en ella se implica todo él, es una escritura de bulto, la del cuerpo del soldado –testigo que no sólo contempló las batallas sino que tomó parte en ellas, para integrarse así a un linaje de cronistas que dentro de su cuerpo textual hacen referencia constante a las señales recibidas –especie de tatuajes– como consecuencia de las batallas o expediciones en que participaron; pueden incluirse muchos ejemplos, empezando por el relato que transcribe del Segundo Viaje de Colón, su hijo don Hernando:

> "Desde esta isla no continuó el Almirante registrando en su diario la navegación que hacía, ni dice cómo regresó a la Isabela, sino solamente que,...por las grandes fatigas pasadas, por su debilidad y por la escasez del alimento, le asaltó una enfermedad muy grave, entre pestilencial y modorra, la cual de golpe le privó de la vista, de los otros sentidos y de la memoria." [7]

Dichas marcas organizan, al inscribirse en el cuerpo, una memoria: de esas vicisitudes "todavía saqué señal", precisa Álvar Núñez Cabeza de Vaca; o articulan en el discurso una violencia que se inicia en la carne, como se deduce de manera irremediable de esta carta de Lope de Aguirre a su legítimo soberano: "Rey Felipe,... y yo estoy manco de mi pierna derecha, de dos arcabuzazos que me dieron en el valle de Chuquinga... siguiendo tu voz y tu apellido...[8]

Bernal escribe pues con toda su corporeidad; *es*, subraya, testigo de vista. Gómara escribe sólo de oídas, por las relaciones que otros le han trasmitido. Esta distinción es esencial: involucra en el acto de escribir no sólo su mano, sino su cuerpo entero. Con ese acto subraya un procedimiento legal, explícito en un documento que, exigido a los soldados cuando reclamaban mercedes a cambio de sus acciones guerreras –la Probanza de Méritos y Servicios–, constituye la prueba irrefutable de que se ha peleado y de que los servicios se han cumplido y merecen una recompensa, porque están inscritos en el cuerpo.

Manejado así, el *borrón* es una marca que separa a Bernal del ilustrado Gómara; la verdad es imborrable, ha dejado señales indelebles –tatuajes–; se convierte entonces en un texto singular, el de las inscripciones corporales. Gómara malea las acciones de los conquistadores que fueron testigos de vista, sobre todo las de aquellos que "sacaron señal" al conquistar y poblar; por el simple hecho de hacerlo, los coloca en una jerarquía distinta de la que les corresponde por derecho, los inserta en una categoría ambigua que los acerca peligrosamente a los indios, utilizados como bestias de carga, marcados, troquelados, semejantes a las cabezas de ganado para hacer producir los campos y las minas. En cierta medida, con su escritura exige un reconocimiento, e implica el deseo de que no se le convierta en un colonizado *avant la lettre*, colonizado porque los *borrones* de la escritura de Gómara, producidos en la Metrópoli, lo *desfiguran* a él y a los demás soldados que expusieron sus vidas por conquistar las Indias y al *borronear* sus hazañas, las oscurecen, las confunden, las hacen desaparecer. Por ello critica también, y con mucho veneno, a gente como Diego Velázquez, gobernador de Cuba o a Juan Rodríguez de Fonseca, obispo de Burgos, funcionario del Consejo de Indias, que, sin exponerse, se aprovechan y reciben prebendas del trabajo de los otros, los españoles que pasaron a Indias. Gómara se les parece: como ellos, *desfigura, borronea* las acciones de los conquistadores que han venido a América con el deseo expreso de ser tratados como señores. La escisión se ha producido; además de los indios, ha aparecido una especie intermedia, la de los indianos, también colonizados. La única forma de lavar la mancha es ser reconocido en la Metrópoli, enmendarle la plana a Gómara.

La historia es paradójica. López de Gómara no conoció a su contrincante. Su historia fue reimpresa, durante su vida, luego censurada, como las obras del propio Cortés, y su fama póstuma está ligada a la de Bernal, cuya *Verdadera Historia* impresa en 1632 ha tenido numerosas reimpresiones. Sin embargo, el deseo de Bernal se ha cumplido en demasía, la batalla desatada por él contra los escritos viciosos del capellán de Cortés –desde las páginas de su libro– mantiene su vigencia hasta la fecha y sigue dividiendo a los historiadores.[9]

*La escritura y la escrituración*

La llamada primera Carta de relación de Cortés fue escrita en 1519, antes de la derrota de Tenochtitlán. Es obviamente anterior a la Verdadera historia de Bernal y, como ella, intenta esclarecer una verdad. Pero como todas las verdades, la suya es relativa, aunque pretende la más absoluta objetividad. Objetividad que, a diferencia de Bernal y de los otros conquistadores–cronistas de la conquista de México, destierra por completo la oralidad. Su texto es antes que nada escritura, y a momentos colinda con la escrituración, actividad que como bien sabemos pertenece al ámbito jurídico, contexto notarial absolutamente indispensable de la empresa de expansión española en Indias.[10] Todos los actos emprendidos, ya fueran requerimientos, tomas de posesión, fundación de ciudades, probanzas y méritos, interpretaciones de los lenguas, etc., son cuidadosamente legalizados ante escribano. Cortés se lamenta en su segunda Carta de Relación, después de la Noche Triste:

> Porque en cierto infortunio ahora nuevamente acaecido, de que en adelante en el proceso a vuestra alteza daré entera cuenta, se me

> perdieron todas las escrituras y autos que con los naturales de estas tierras yo he hecho, y otras muchas cosas (p. 31).

No pretende, como Bernal, enmendar una historia escrita con todos los preceptos de la retórica donde su figura y sus actos queden alterados por una manera especial de contar las cosas. Su intención es cumplir al pie de la letra una de las instrucciones que, el 23 de octubre de 1518, Diego Velázquez le diera ante notario: descubrir el "secreto" de las tierras que iban a explorarse.[11] Por eso, y atacando a Velázquez, Portocarrero y Montejo, los procuradores de Cortés ante Carlos V y la reina Juana, dicen en la llamada primera Carta de Relación, probablemente dictada por el marqués del Valle:

> Bien creemos que vuestras majestades, por letras de Diego Velázquez... habrán sido informados de una tierra nueva que puede haber dos años poco más o menos que en estas partes fue descubierta, que al principio fue intitulada por nombre Cozumel , y después la nombraron Yucatán, sin ser lo uno ni lo otro, como por nuestra relación vuestras altezas, mandarán ver; y por que las relaciones que hasta ahora a vuestras majestades de esta tierra se han hecho, así de la manera y riquezas della, como de la forma en que fue descubierta y otras cosas que de ella se han dicho, no son ni han podido ser ciertas porque nadie hasta ahora las ha sabido como será ésta que nosotros a vuestras reales altezas escribimos... (p. 7)

Y la imposibilidad de decir la verdad se deriva de una incapacidad esencial, tanto de Hernández de Córdova como de Grijalva, la de no calar hondo en la tierra que van a descubrir, ni saber el secreto della, ineficacia reiterada con constancia inigualable por el cronista Juan Díaz, capellán de la armada de Grijalva.[12]

Sin penetrar en el secreto, sin calar hondo en la nueva realidad, es inútil hacer una relación. Cuando el secreto se devela, es posible destruir el viejo orden, conquistar, pacificar, poblar: es decir, crear una nueva sociedad sobre las ruinas de la antigua, y definirla, aún antes de que exista. En el momento mismo en que entrega sus secretos, esa sociedad ha sido destruida de antemano y una de las armas ha sido la escritura. De esto habla Ángel Rama; para él, la conquista y la creación de las ciudades americanas, responde a una razón primordial: "Fue una voluntad que desdeñaba las constricciones objetivas de la realidad y asumía un puesto superior y autolegitimado: diseñaba un proyecto pensado al cual debía plegarse la realidad".[13]

Cortés se adelanta entonces a su tiempo. Su obsesión por descubrir el secreto de las nuevas tierras contrasta con la pasión por las aventuras que en ellas han vivido otros cronistas, esa pasión que hace "escribir" a fray Francisco de Aguilar, gotoso y tullido, estas palabras con las que empieza su relación:

> Fray Francisco de Aguilar, fraile profeso de la orden de los predicadores, conquistador de los primeros que pasaron con Hernando Cortés a esta tierra, y de más de ochenta años cuando esto escribió a ruego e importunación de ciertos religiosos que se lo rogaron diciendo que, pues que estaba ya al cabo de la vida, les dejase escrito lo que en la conquista de esta Nueva España había pasado, y cómo se había conquistado y tomado, lo cual dijo como testigo de vista y con brevedad y sin andar con ambajes y circunloquios, y si por ventura el estilo y modo de decir no fuese tan sabroso ni diere tanto

contento al lector cuanto yo quisiera, contentarle he al menos y darle agusto la verdad de lo que hay acerca de este negocio....[14]

Hay una diferencia esencial con Cortés: en Aguilar se escribe por placer, para recordar, mediante la escritura, aquellos tiempos extraordinarios, actividad implicita en la manera de justificar su textualidad, para "contentar al lector y darle agusto la verdad". Cortés es un singular testigo de vista: su mirada abarca lo inmediato con gran sagacidad, pero al mismo tiempo es capaz de mirar hacia el futuro y organizarlo en la escritura desde distintas posiciones, siempre utilitarias, meduladas de entrada por un objetivo político.

Primero se identifica –y se mimetiza a ella– con la escrituración notarial, cuyo ámbito propio es lo jurídico, lo institucional, lo que se le debe a la corona: duplica los acontecimientos y los despoja de su especificidad para sancionarlos legalmente y, al privarlos de dimensionalidad humana, los burocratiza. Amenazados siempre por la legalidad, los conquistadores suelen cubrirse las espaldas y confeccionar memoriales que podrán servir después como probanzas de méritos y servicios o, en los casos excepcionales, para protegerse ante futuros juicios de residencia.[15] Cortés tenía una gran experiencia como escribano: mientras negociaba en Sevilla su pasaje a Indias se ocupó como ayudante en una notaría, cargo del que ya había tenido experiencia en su estancia en Salamanca.

En la villa de Azúa en Santo Domingo, a la que llegó en 1504, recibió como pago por una "pacificación" de indios –al servicio de Diego Velázquez–, una encomienda y, además, la escribanía de ese pueblo, cargo que desempeñó como titular durante cinco años.[16] Desde Cuba participa en numerosas peleas legales; al llegar a México, ya con el deseo de convertirse en capitán general, empieza a librar en contemporánea sucesión la batalla campal y la batalla escrituraria.

Como complemento de la actividad notarial, implícita como digo en la estructura de las *Cartas de relación*, está la manía epistolar de Cortés. Esta manía alcanza proporciones desmesuradas, sobre todo si se tiene en cuenta que el arte epistolar era fundamental en ese tiempo, y que junto a los memoriales, ordenanzas, provisiones, etc, era normal acompañarlas de mensajes donde se explicaba su sentido: la mensajería exige la escritura de mensajes. Por otra parte, y a pesar del analfabetismo de muchos conquistadores, es muy notoria la fiebre escrituraria entre ellos. Es muy frecuente, además, que los cronistas mencionen con precisión el intenso intercambio epistolar de los conquistadores.[17] Cortés escribe para seducir, para ordenar, para justificar para guardar secretos, para manipular situaciones. Uno de los primeros ejemplos que tenemos es una respuesta a los mandamientos y provisiones secretos que Velázquez envía, con dos mozos de espuelas, para revocarle el poder de Cortés y que él intercepta, en la ciudad de Trinidad en Cuba. Lo cuenta Bernal con "sabrosas" palabras:

> ...muy mansa y amorosamente [contestó] al Diego Velázquez que se maravillaba de su merced de haber tomado tal acuerdo, y que su deseo es servir a Dios y a su majesad, y a él en su real nombre... Y también escribió a todos sus amigos, en especial al Duero y al contador, sus compañeros; y después de haber escrito, mandó a entender a todos los soldados en aderezar armas... (Bernal, p. 54).

Lo que resalta en esta cita, es la intensidad y rapidez con que Cortés escribe, al tiempo que regula a su armada, de manera tan organizada que el mismo Bernal añade, sorprendido, unas líneas adelante: "No sé yo en qué gasto ahora tanta tinta en meter la mano en cosas de apercibimiento de armas y de los demás; porque Cortés verdaderamente tenía grande vigilancia en todo"(p. 63).

Esta vigilancia y este ejercicio desenfrenado de la escritura simultáneos tienen efectos de primordial importancia para la conquista de México. Cortés se empeña, nos asegura, en calar hondo, en descubrir los secretos de la tierra; busca para ello intérpretes: una de las consecuencias de descifrar un secreto es poder comprender las cosas.[18] Los primeros farautes son muy rudimentarios, no aseguran una trasmisión correcta y cabal de los mensajes. En la primera Carta de relación o del cabildo, al querer Cortés "saber cuál era la causa de estar despoblado ese lugar", Cozumel, adonde han llegado sus navíos, usa a los *lenguas* y les ruega también que transmitan el tradicional requerimiento (p. 11). Esta conducta sería normal si no hubiese añadido a su petición una carta dirigida a los caciques. Idéntica fórmula utiliza cuando intenta "redimir" a los cautivos españoles, de los cuales han tenido noticia los soldados desde las expediciones anteriores: envía primero un mensaje oral que transmiten los farautes y lo remacha con una carta, dirigida a los europeos; espera luego varios días el resultado de esa doble maniobra. La segunda operación es adecuada: la carta va dirigida a otros cristianos; la primera, en cambio, la destina a los caciques indios, "y luego el dicho capitán les dio una carta para que los dichos caciques fueran seguros" (p. 12). Al cabo de dos días, la carta, objeto incomprensible para los indios que no entendían la escritura, ha surtido su efecto: "partió [el faraute] con su carta para los otros caciques, y de allí a dos días vino con él el principal y le dijo que era señor de la isla...".

De este ejemplo se puede deducir que Cortés no sólo intenta comprender (como asegura con razón Todorov). Con ese método absolutamente natural en la época, el envío de una carta escrita del puño y letra del remitente con las características señales que lo identifican, el futuro marqués del Valle ha definido los términos en que quiere la intercomunicación. Un nuevo sistema de transmisión de los mensajes empieza a fijar sus cauces: una civilización ágrafa se enfrenta por primera vez a la escritura. ¿Podría decirse que con ello los indígenas han entrado a la historia?

Michel de Certeau da una explicación:

> El descubrimiento del Nuevo Mundo, la fragmentación de la cristiandad, los desgarramientos sociales que acompañan al nacimiento de una política y de una razón nuevas, engendran otro funcionamiento de la escritura y la palabra. Comprendida en la órbita de la sociedad moderna, su diferenciación adquiere una pertinencia epistemológica y social que no había tenido antes; en particular se convierte en el instrumento de un doble trabajo que se refiere, por una parte, a la relación con el hombre "salvaje", y por otra parte a la relación con la tradición religiosa [19].

Bernal sostiene una relación personal con la historia. De ella borra a quienes pretenden cancelar su paso por el mundo. Cortés escribe en el lenguaje objetivo e impersonal de un político moderno. Su relación con la escritura ya no es religiosa, decir la verdad no tiene nada que ver con la divinidad, aunque se pretenda catequizar y convertir a los naturales, o como cuando la palabra escrita se sacraliza como en las Escrituras. Su verdad es la del Estado, y a través de la escritura organizada por él dentro de los moldes epistolares, tanto para comunicarse con el rey – sus *Cartas de relación*– como con sus subordinados o sus pares, fundamentó su relación con el Poder. Es revelador que sus *Cartas de relación* fueran prohibidas desde 1527 y quemadas en las plazas públicas de las ciudades más importantes de España. Es también muy significativo que la historia de López de Gómara haya sido censurada poco tiempo después de que se escribió. Cortés supo definir las nuevas condiciones de la sociedad que ayudó a construir; su sagacidad y constancia para descubrir los secretos de la tierra y calar hondo en las cosas de su tiempo, lo convirtieron en un hombre peligroso: su poder amenazó al de la monarquía.

## II

## LENGUA Y CONQUISTA*

En los *Diarios* de Colón aparece constantemente una queja del Almirante: La de carecer de intérprete para entender a la "gente de la tierra". El no entender se traduce por una frase obsesiva inscrita en el texto a partir del 12 de octubre de 1492: "No aver lengua".

Un problema semejante se les presenta a los españoles cuando llegan a México. Para atenuar o eliminar ese inconveniente, Bernal declara que se "prendían indios" para "tomar lengua" de ellos, siguiendo la ya vieja tradición impuesta por Colón en América. Y Cortés, tan parco y directo en su escritura, dedica varias páginas de su primera Carta de Relación para consignar el rescate de Jerónimo de Aguilar que había de convertirse en palabras de Bernal "en tan buena lengua y fiel".

...*lengua* es pues uno de los instrumentos capitales de la Conquista. En este escrito me limitaré a analizar este tema a partir de la ya mencionada primera Carta de Relación de Cortés[1] y los primeros 52 capítulos de la *Verdadera Historia de la Conquista de la Nueva España* de Bernal Díaz del Castillo[2] (que cubren exactamente los mismos acontecimientos). De apoyo fundamental serán la *Historia de las Indias* de

* Este texto, ahora corregido, apareció en la Revista de la Universidad, México, octubre de 1989.

Fray Bartolomé de las Casas[3] y la *Historia General de las Indias*[4] de Francisco López de Gómara. Quienes frecuentan la historia de América no habrán olvidado sin duda las circunstancias que presiden el "descubrimiento" de México. Oigámoslas en palabras de Las Casas:

> "...pero si las tierras no tenían oro, que por consiguiente las estimaban por *inútiles y perdidas*, tenían por sacrificio para Dios y servicio para Sus Altezas saltear y prender toda la gente della y traellas por esclavos y consumilla toda en las minas y en las otras granjerías". Aniquilada así gran parte de la población de las Antillas, los españoles hacían viajes de reconocimiento y de rapiña para como dice Cortés, "ir por indios a las islas que no están pobladas por españoles para se servir dellos" (p. 7).

Con este preciso objeto se organizó la expedición de Francisco Hernández de Córdova en 1517, cuyo saldo fue un fracaso en términos militares, pero un éxito para el futuro de las conquistas españolas en América. En las costas recién "descubiertas" se encontró, en palabras textuales de Cortés, "una tierra muy rica en oro, y que en la dicha tierra había edificios de cal y canto, mucha administración y riquezas" (p. 8).

Antes de contar con lenguas o intérpretes, es decir de apoderarse de indígenas de la región, o de que éstos aprendan su oficio, aún rudimentariamente, los conquistadores utilizan el lenguaje de las señas "con señas de paz que les hicimos, llamándoles con las manos y capeándolos con las capas" aclara Bernal, "porque entonces –durante la expedición de Hernández de Córdova– no teníamos lengua que entendiera la de Yucatán y mexicana" (p.6). Bernal refiere también cómo al llegar a Cabo Catoche se encuentran con una india de Jamaica, "moza y de buen parecer" y, "como muchos de nuestros soldados e yo entendíamos muy bien aquella lengua, que es la de Cuba, nos admiramos..." (p. 25). La posesión de esa sobreviviente bilingüe y procedente de una expedición de indios de Jamaica a Yucatán, les ayuda a refinar las interpretaciones. Más tarde, al llegar Grijalva a Río Banderas, donde ya se habla náhuatl, lengua que ninguno de los intérpretes conoce, toman preso a otro indio, quien bautizado como Francisco, cumple burda y provisionalmente con las funciones que más tarde cumplirá la Malinche: "Y de allí tomamos un indio, que llevamos en los navíos, el cual, después que entendió nuestra lengua, se volvió cristiano, y se llamó Francisco y después de ganado México, le vi casado en un pueblo que se llama Santa Fe" (Bernal, p. 34).

Melchorejo y Juliancillo, comprueba Bernal, no son de fiar: en Champotón, Grijalva inicia la "plática" con algunos principales del pueblo y les entrega el habitual rescate de cuentas verdes y cascabeles a cambio de oro y vituallas y los envía como embajadores, "para que viniesen de paz... porque fuesen sin miedo: y fueron y nunca volvieron, e creímos que el indio Juliancillo y Melchorejo no les hubiea de decir lo que les fue mandado, sino al revés" (p. 27).

Al iniciar la tercera expedición y consciente de que necesita verdaderos lenguas, hábiles y fieles, Cortés se encarga de poner en ejecución una de las cláusulas de las capitulaciones que ha firmado con Velázquez: "Procuraría por todas las vías, maneras e mañas" la redención de seis cristianos que los lenguas aseguraban estaban cautivos en Yucatán, náufragos –como la india moza– de una expedición procedente de Jamaica, "pues les pareció que mucho servicio a Dios y a Vuestra Majestad [haría] en trabajar que saliesen de la prisión y cautiverio en que estaban" ( Cortés, p. 13).

Sus cuidados –enviarles una carta y rescate de "bujerías y quincallería", para liberarlos– culminan con la "redención" de Jerónimo de Aguilar, el primer intérprete verdaderamente digno de confianza con que cuenta Cortés. Bernal lo describe así:."...le tenían por indio propio porque de suyo era moreno y tresquilado a manera de indio esclavo, e traía un remo al hombro y una cotara vieja calzada y la otra en la cinta, en una manta vieja muy ruin e un braguero peor, con que cubría sus vergüenzas, e traía atado en la manta un bulto, que eran horas muy viejas" (p. 69). Es significativo este pasaje: Aguilar se viste y actúa como un indio ("se puso en cuclillas"), es más, físicamente, "de suyo", tiene un tipo similar al de los indígenas ("porque Aguilar ni más ni menos era indio" –p. 69–) y, como Melchor y Julián, ha sido colonizado: aprende a la fuerza una lengua ajena a la suya y cuando lo encuentran los españoles habla un castellano "mal mascado y peor pronunciado": "Y él le dijo..., que se decía Jerónimo de Aguilar, y que era natural de Écija, y que tenía órdenes de Evangelio..." (Bernal, p. 68).

Por su parte, Melchor y Julián distan mucho de ser buenos intérpretes, transmiten con dolo e incompletos los mensajes. Cosa, por otra parte, comprensible y razonable. Grijalva no descifra bien las señales y durante una de las batallas que se libran, los soldados confunden las flechas con nubes de langostas y no se escudan "y otras veces creíamos que eran flechas y eran langostas que venían volando: fue harto estorbo"; es cierto, sin verdaderos intérpretes, la realidad es incomprensible. Cortés se encarga de poner las cosas en su lugar, de entenderlas en su justo sentido, el que conviene a sus intereses. Jerónimo de Aguilar es la ficha que completa su juego; sustituye a Melchor (Julián ya ha muerto para la tercera expedición), quien traiciona a los españoles en la batalla de Tabasco.

Me detengo aquí para hacer una reflexión: designar al intérprete con la palabra *lengua* define la función retórica que desempeña, en este caso la sinécdoque, es decir, tomar la parte por el todo. Quien se ve despojado de su cuerpo, es solamente una voz, tiene una sola facultad, la de trasmitir los mensajes que otros emiten. La voz no es autónoma sin embargo: por razones estratégicas y por su oficio. La (o el) lengua es un cuerpo agregado o interpuesto entre los verdaderos interlocutores, el conquistador y el indígena: "Como el Capitán [Grijalva] vio esto, no saltó a tierra, sino desde los navíos les habló con las lenguas y farautes que traía" (Cortés, pp. 9–10); "e por la lengua de Aguilar les hizo otro requerimiento" (Bernal). En los códices de la época es la Malinche la que aparece intercalada entre los cuerpos principales (Códice florentino, Lienzo de Tlaxcala, entre otros); ese mismo hecho, el de ser sólo considerado por su voz, el ser solamente lengua, convierte su cuerpo en un cuerpo esclavo; actúa como los ventrílocuos, como si su voz no fuese su propia voz. Intermediarios absolutos, los intérpretes o lenguas son imprescindibles. Si no se produce el diálogo y, por tanto, el entendimiento con los indígenas, es imposible penetrar en su territorio, conquistarlo. Este problema, obsesivo en Colón, se vuelve aún más urgente en México: una civilización pulida, con *mucha administración*, edificios de cal y canto, gente vestida,"de más razón", no tolera sino interpretaciones precisas, inteligentes y cabales. Se observan hechos y acontecimientos cuya captación es singular: deducir su sentido es crucial para el éxito de la expedición y para salvar la vida. La comprensión cabal de la conducta de otros pueblos resulta muy difícil y la tarea del intérprete es medular. Todorov lo explica así:

Lo primero que quiere Cortés no es tomar, sino comprender; lo que más le interesa son los signos, no sus referentes. Su expedición comienza con una búsqueda de informacion, no de oro. La primera acción que emprende –y no se puede exagerar la significación de ese gesto– es buscar un intérprete.[5]

El oficio del lengua perdura mientras se hagan incursiones en territorios no dominados; más tarde cuando la conquista de México se consuma y los lenguas son intérpretes de un mundo destruido, los misioneros lingüistas, los padres lenguas,[6] toman su lugar: una extraña conjunción nace, una especie de doble lengua, la mancuerna constituida por el misionero y sus informantes. El caso de Sahagún lo ilustra bien: Toma "muestras" en tres pueblos diferentes en donde escoge hasta diez personas principales, generalmente viejos, y refina sus interpretaciones al hacer el sumario final, varias lenguas unidas participan en el cuerpo textual.

Estos cuerpos a medio camino entre objeto y sujeto, deben, antes de ser lenguas, bautizarse (si son indígenas) y vestirse como europeos.[7] Una de las máximas adquisiciones de Cortés es la Malinche, como lo sabemos bien, de ella habla así Bernal:

> ...y el mismo fraile (Bartolomé de Olmedo) con nuestro lengua Aguilar predicó a las veinte indias que nos presentaron, muchas buenas cosas de nuestra santa fe, y que no creyesen en los ídolos de que antes creían, que eran malos y no eran dioses,... e luego se bautizaron y se puso por nombre Doña Marina aquella india e señora que allí nos dieron y veraderamente era gran cacica e hija de grandes caciques y señora de vasallos, y bien se le parecía en su per-

> sona... e de las otras mujeres no me acuerdo bien de todos sus nombres e no hace al caso nombrar a algunas, mas éstas fueron las primeras cristianas que hubo en la Nueva España (p. 88-89)

Jerónimo de Aguilar recupera la ropa tradicional de los hombres que hablan su lengua materna: "Cortés luego le mandó dar de vestir camisa e jubón, e zaragüelles, e caperuza, e alpargatas que otros vestidos no había" (Bernal, p. 69). De igual manera, al llegar Cortés a Tabasco, Melchor, ya muy disminuido y utilizado para tareas de menor importancia –servirle de lengua al lugarteniente de Cortés, Alvarado–, "dejó colgados sus vestidos que tenía de Castilla y se fue de noche en una canoa". Para ser lengua fiel, Aguilar debe vestirse como español; y Melchor trueca sus incómodas ropas europeas por las suyas propias; ambos recobran su identidad perdida en el cautiverio. Hay que recordar que al vestirse como indio, trasquilarse como tal y tener por obra del sol un tono moreno de piel, Aguilar pierde también su castellano, pues no lo habla, lo "masca", es ya un indio. El indio bautizado recibe con su nuevo nombre una nueva vestimenta: el indio Francisco (arriba mencionado), después de que entiende el castellano, se transcultura, se torna cristiano, y seguramente se viste como tal. La Malinche permanece vestida de indígena, en las pinturas se la ve con su clásico atavío: cubiertas bien sus vergüenzas y siendo mujer, y ya cristiana, quizá no fuese necesario cambiar de traje. Estas operaciones, estos cambios de vestimenta, de nombre, de lengua, de religión forman parte del trueque, del rescate, operación principal que preside a la Conquista. Explorar para rescatar (intercambiar cuentas verdes, azules, cascabeles, jubones de terciopelo colorado o camisas de Castilla por oro, mujeres y comida) es un trueque. Redimir almas: convertir a los indios en servidores de Cristo y de Carlos V, es un trueque. Redimir a un cautivo –Jerónimo de Aguilar– se logra mediante un rescate (trueque). Redimir almas es ponerles un nuevo signo, nueva ropa: un travestimiento. Un caso trágico, entre otros, el de Melchor: sus compatriotas pierden el combate con los españoles porque el indio, mal transculturado, interpreta mal los signos, no los aconseja bien:

> Y también dijo [el embajador indígena] que el indio que traíamos por lengua, que se nos huyó una noche, se lo aconsejó, que de día y de noche nos diesen guerra, porque éramos muy pocos. Y luego Cortés les mandó que en todo caso se lo trajesen: e dijeron que como le vio que en la batalla no les fue bien que se les fue huyendo... e supimos que lo sacrificaron, pues tan caro les costó sus consejos" (p. 78).

Una expedición dirigida por el signo del rescate marca los cuerpos como un tatuaje, mejor, los hierra, como después a los indígenas. Cualquier intento de poblar o de pacificar –eufemismos de conquista y destrucción–, se inicia con un trueque, inclusive la posición del jefe de la armada, presto a trocar su carácter de portavoz –de alguna manera, lengua– del gobernador Velázquez por el de capitán general. Sabemos bien que uno de los propósitos deliberados de las *Cartas de relación* es ratificar ese argumento: obtener el derecho a trocar el objetivo de la expedición: poblar en vez de rescatar, o sea, conquistar en vez de simplemente comerciar; convertir a los vasallos de Moctezuma en vasallos de Carlos V; cristianizar a los indígenas y sacarlos de la idolatría. Rescatar y poblar son operaciones diferentes y su resultado final es diametralmente opuesto; con todo, su signo inicial es siempre el trueque. En la primera Carta de relación vemos a Grijalva en su ocupación favorita, la de buhonero:

> Y como los naturales de la tierra habían visto que aquellos navíos venían por la costa, acudieron allí, con los cuales él habló con sus intérpretes y sacó una mesa en que puso ciertas preseas, haciéndoles entender cómo venían a rescatar y ser sus amigos (p. 10).

Usar el rescate como simple trueque, en su sentido más literal de intercambio de mercancías, pierde a Grijalva, lo degrada. Intercambiar presentes después de ganar una batalla beneficia a Cortés: se convierte en un ritual diplomático, en el signo de su triunfo. Jerónimo de Aguilar es redimido de su cautiverio por medio de un rescate banal y unas cartas: a los indígenas simplemente se les prende, se les bautiza, se les viste: la Malinche es un regalo, parte integrante de un grupo de mujeres ofrecidas "para que les cociesen pan y guisasen de comer al ejército" (Gómara), es decir, para las labores propias de su sexo, incluidas las de reproducción. Es un presente ("Y lo que yo ví e entendí después acá, –explica Bernal–, es que en aquellas provincias se usaba enviar presentes cuando se trataba paces").

Hasta ahora se ha reseñado un equipo convenientemente formado por algunos indígenas, cuya actuación era imperfecta: Melchor, Julián ("ambos trastabados de los ojos"), la india jamaiquina, Francisco, unos indios de Cuba. Melchor muere después de la segunda expedición, Julián es sacrificado en la tercera, Francisco se cristianiza. Las Casas lo verbaliza con singular pertinencia, relatando la expedición de Grijalva:

> En esclareciendo, vienen sobre cien canoas llenas de hombres armados a ponerse cerca de los navíos, y de entre ellas sale una y acércase más a los navíos, para que se pudiese oir su habla; levántase en ella un hombre de autoridad, que debía de ser capitán o principal entre ellos, y pregunta que qué querían o qué buscaban en tierras y señoríos ajenos; esta lengua no entendía el indio que traían de Cuba, pero entendíanla los cuatro que habían preso en la canoa, en el Puerto Deseado, y el de cuna entendió a éstos y éstos entendieron a los de Tabasco (III, p. 209).

El equipo se vuelve efectivo cuando aparece Jerónimo de Aguilar, un cristiano vuelto indio. La vuelta de tuerca en este engranaje, por demás conocido, es la presencia de Malintzin, Malinche, Doña Marina. Su entrada en escena es precisamente el producto de un intercambio de presentes. Como precio de su derrota, los indígenas envían a Cortés un tributo que, inventariado, consiste en "cuatro diademas, unas lagartijas, y dos como perrillos, y orejeras, y cinco ánades, y dos figuras de caras de indios, y dos suelas de oro,y otras cosillas de poco valor", sobre todo, además de varias gallinas[...]" veinte mujeres, y entre ellas una muy excelente mujer que se dijo Doña Marina, que así se llamó después de vuelta cristiana" (Bernal, p. 87). Bernal la describe con admiración; Cortés la menciona, brevemente, en la segunda Carta de Relación y López de Gómara, "amo" del conquistador (como lo califica maliciosamente el padre Las Casas, y por ello quizá, otro especie de lengua), explica:

> Todo se había hecho sin lengua, porque como Jerónimo de Aguilar no entendía a esos indios, que eran de otro lenguaje muy diferente

del que él sabía, por lo cual Cortés estaba preocupado y triste, por faltarle faraute para entenderse con aquel gobernador y saber las cosas de aquellas tierras: pero después salió de esa preocupación, porque una de aquellas veinte mujeres que le dieron en Potonchán hablaba con los del gobernador y los entendía muy bien como hombres de su propia lengua; y así Cortés la tomó aparte con Aguilar, y le prometió más que libertad si le trataba verdad entre aquél y aquellos de su tierra, puesto que los entendía, y él la quería tener por su faraute y secretaria (Lopez de Gómara, p. 47).

Bernal advierte que esa bilingualidad "fue gran principio para nuestra Conquista"; Cortés comenta secamente en la segunda Carta:"... a la lengua que yo tengo, que es una india de esta tierra que hube en Potonchán...". Uno de los significados de la palabra *faraute*, además del de intérprete, es el de mensajero, casi de embajador, y un lengua cuenta, además, entre sus funciones la de espía. La Malinche incorpora todos esos sentidos y además se vuelve secretaria del futuro Marqués, quien le ha prometido libertad. Singular destino el de Doña Marina: es ofrecida como tributo a Cortés, miembro de una sociedad donde las mujeres están subordinadas a los hombres como los niños a sus mayores y ella ha formado parte de otra sociedad donde, según dice el conquistador anónimo "...es la gente que menos estima a las mujeres en el mundo".[8] Cortés ha redimido a Aguilar de su cautiverio para que le sirva de lengua y a la Malinche le promete más "que la libertad", si se convierte en su faraute y secretaria. ¿Qué querrá decir Gómara con "más que la libertad"? La Malinche conserva sus vestimentas, le dan varios cargos y su posición en el ejército es preponderante, sabemos también que en la expedición de las Hibueras acompaña a Cortés y que tiene un hijo con él. Es, en fin, una especie de lanzadera, una correveidile, elemento esencial de la conquista. Todorov concluye: "... no se conforma con traducir; es evidente que también adopta los valores de los españoles, y contribuye con todas sus fuerzas a la realización de sus objetivos" (p. 108). La Malinche ayuda a reforzar la teatralidad de Cortés cuando traduce sus palabras, como si ella y, al principio, Aguilar hubiesen puesto en marcha las acotaciones escénicas de una especie de auto sacramental montado por Cortés. Como de costumbre, ha sido necesario un requerimiento para tomar posesión de los nuevos reinos: los farautes comunican el clásico mensaje "de paz" contradictorio, si quieren evitar la guerra y la destrucción total deben abandonar a su señor y a sus dioses para ser vasallos de Carlos V y ovejas de la Iglesia de Cristo, mensaje sancionado con debida formalidad por los escribanos. Los receptores del mensaje no se "curan, al principio, de contestar con palabras sino con flechas espesas", asienta Cortés. Para trocar las flechas en palabras se regresa al lenguaje de las señas, el de los meneos, y luego al lenguaje de la simulación, lenguaje en el que Cortés descuella. Se recurre a los caballos, a una yegua recién parida, a las lombardas, al artillería en pleno. Se inicia un simulacro de catequización guiado por el fraile mercedario Bartolomé de Olmedo, se les explica a los indios, mediante el lenguaje de los farautes y el de las señas –convertido en teatro religioso–, la verdadera religión. Se manda instalar una imagen de la Virgen en un adoratorio construido al vapor por un carpinero de lo blanco auxiliado por un albañil indígena, y con una espada Cortés graba una cruz en un árbol local –la ceiba–: ha tomado posesión del territorio mexicano. Cada movimiento es traducido "lo mejor que pudo" por el lengua Aguilar y escrito en español por el escribano. Los indios contemplan admirados a los españoles (Bernal) convertidos en actores. Ha llegado el momento de poblar, de redimir la tierra, de en ir contra de lo concertado con Velázquez. Los aztecas hacen su aparición y un concierto a tres voces se entona en el gran teatro del mundo: empieza Cortés, sigue Aguilar y luego Doña Marina; Cortés habla por Carlos V, del que se finge ventrílocuo; como una de las primeras cristianas verdaderamente convertida, doña Marina será la más efectiva. Todas esas voces y esa actuación le llegan a Moctezuma en rápida mensajería y en magníficas pinturas. La primera Carta de relación termina con la máxima teatralización: la creación, en la escritura, de la Villa Rica de la Veracruz. Una picota y una horca, construidas por los carpinteros españoles son los únicos signos de la realidad.[9]

Así termina la primera Carta de relación, pero no la labor incansable, nunca bien ponderada de los lenguas : "Y como Marina en todas las guerras de Nueva españa , Tlaxcala y México fue tan excelente mujer y buena lengua.... a esta causa la traía siempre Cortés consigo...y la Doña Marina tenía mucho ser y mandaba absolutamente entre los indios en toda la Nueva España" (p. 92).

# III

# CIUDAD Y ESCRITURA: LA CIUDAD DE MÉXICO EN LAS *CARTAS DE RELACIÓN* DE HERNÁN CORTÉS*

## *Rescatar o poblar*

La diferencia esencial entre la expedición emprendida por Cortés con el objetivo concreto de conquistar las tierras ignotas, bautizadas luego como la Nueva España, y las expediciones que precedieron a la suya, la de Hernández de Córdova y la de Grijalva, puede sintetizarse en esta disyuntiva: rescatar o poblar.

Rescatar es el simple acto de comerciar, intercambiar baratijas por oro y cabotear con precaución por la costa del Golfo de México, tal y como lo habían hecho sus antecesores, por mandato expreso de Diego Velázquez. El propósito de Cortés es mucho más ambicioso; según sus propias palabras, su intención es "calar hondo en la tierra y saber su secreto"; desobedecer las instrucciones de rescatar –definidas expresamente en las capitulaciones firmadas con Velázquez–, trocar el objetivo de la expedición y, como afirman sus enemigos, "alzarse con el Armada" para empezar a poblar. Pero, ¿cómo empezar a poblar sin fundar una ciudad?

*Este texto, ahora corregido, apareció en *Hispamérica*, Año XIX, Agosto-Diciembre 1990, núms. 56-57, pp. 165-174 y en *Neue Romania*, Institut für Romanische Philologie der Freien Universität, Nr 10, 1991, pp. 91-102.

En efecto, en el acto mismo de la rebelión de Cortés está inscrito el proyecto de fundar una ciudad. Una vez que ha empezado a "calar" el terreno y a explorar en el "secreto" de la tierra, Cortés, al hacerse requerir por sus soldados como capitán general y, ante notario, justificar ese nombramiento, hace visible su designio secreto: poblar equivale a conquistar. Y para poblar, insisto, es necesario fundar una ciudad. No es exagerado ni gratuito afirmar que la conquista de México se hace explícita en el instante mismo en que Cortés funda, el 22 de abril de 1519, la Villa Rica de la Vera Cruz en un lugar cercano al actual puerto, llamado originariamente Chalchicuecán: los regidores y alcaldes que firman la llamada primera Carta de relación o "Carta de Cabildo" explican que, por convenir al servicio de "vuestras majestades", Cortés se ha dejado "convencer" y ha aceptado el requerimiento de sus hombres que le exigen trocar el signo de la expedición, desconocer el nombramiento otorgado por Velázquez y pretender que está directamente al servicio del rey:

> "Y luego comenzó con gran diligencia a poblar y a fundar una villa, a la cual puso por nombre la Rica Villa de la Vera Cruz y nombrónos a los que la presente suscribimos, por alcaldes y regidores de la dicha villa, y en nombre de vuestras reales altezas recibió de nosotros el juramento y solemnidad que en tal caso se acostumbra y suele hacer" [1].

Para Cortés, la Conquista es como esas hachas de dos filos que esgrimen los indígenas y que describe Bernal: uno de los filos es la acción, el combate, la batalla; el otro, la escritura. La primera ciudad novohispana, la Villa Rica de la Vera Cruz, es una ciudad imaginaria, una ciudad escriturada en un libro de actas ante escribano. Es la primera escena de una comedia en donde Cortés es requerido por sus hombres para convertirse en capitán general de una armada que intentará conquistar y poblar, privilegio que hasta 1518 conservaba solamente Diego Colón, hijo del Almirante. A partir del 13 de noviembre de ese mismo año, esa misma merced se le concede a Diego Velázquez: la audacia de Cortés no tiene límites; tampoco la de sus alcaldes y regidores, quienes ante escribano se toman libertades que sólo al rey corresponde otorgar. Con ese nombramiento, Cortés delimita una jurisdicción citadina, un ente imaginario sin sustancia de facto, de bulto, cuya realidad proviene de una legalidad ficticia respaldada por oficiales nombrados por él, quienes, como la misma ciudad, son el producto de un acto de escritura pergeñada por el Conquistador. La prueba la da Bernal, cuando al relatar de manera "verdadera" la historia de la conquista, se niega a darles a los conquistadores "el apellido" que luego tuvieron. Bernal relata sólo lo acaecido, sólo lo que ha visto como testigo:"¿Cómo puedo yo escribir en esta relación lo que no ví?".[2] Una esencia fantasmática, la ciudad escriturada, abre la puerta de la realidad: Tenochtitlán, ciudad verdadera que sí ocupa un lugar en el espacio. Una realidad simbólica sustituirá a una realidad mítica.

*Una fundación mítica*

Podríamos precisar: Antes de ser una ciudad escrita (o literaria) la Villa Rica de la Vera Cruz es, cuando se funda, una ciudad escriturada: su inserción en documentos notariales, su carácter de ordenanza legaliza la nominación de Cortés como conquistador, la transforma en un documento legal, en una sus armas para consolidar la empresa, la justificación jurídica de su traición. Su transmutación en escritura se produce para nosotros cuando don Hernán resume el acta notarial en la crónica y nombra en ella, como si se tratara de un cuerpo concreto y verdadero, a la Villa Rica de la Vera Cruz. Inscribirla en el papel la crea, le da vida, como en la Biblia se hace la luz. De la misma forma, Cortés hace desaparecer, al nombrarlas en su Crónica, a varias de las ciudades del territorio dominado por los mexicas y las convierte en ciudades españolas antes de haberlas conquistado, mediante el simple recurso de sustituir los nombres nativos por los cristianos: operación muy a menudo efectuada en las *Cartas de relación*, como lo demuestra , por ejemplo, la cita siguiente: "Y con este propósito y demanda (conocer a Moctezuma y desbaratar su imperio) me partí de la ciudad de Cempoa que yo intitulé Sevilla".[3] El procedimiento de bautizar ciudades para cristianizarlas y apropiárselas tiene una larga genealogía que, en América, proviene de Colón, sofisticada y refinada en Cortés. La escrituración de Veracruz cumple su cometido, legaliza ante sus soldados su nombramiento, le confiere la autoridad que necesita para poblar-conquistar y le permite que estén "todos ayuntados en nuestro cabildo" (p. 19). Sin parar mientes en que el sitio elegido es inhóspito e insalubre y la fundación y población ficticias –pero escrituradas–, la ciudad fantasma ha cumplido su cometido. Más tarde, en junio de 1519, se abandona y se funda otra Veracruz cerca del río Pánuco.

Muy ecónomico como siempre y troquelando lo que para él tiene un valor estratégico, Cortés, en la segunda Carta de relación, explica que deja en la nueva ciudad, cuya fundación no ha consignado, a 150 hombres y dos caballos, "haciendo una fortaleza que ya tengo casi acabada". El camino de la victoria se ha iniciado: la primera ciudad española concreta, la segunda Villa Rica de la Vera Cruz, es simple y llanamente una fortaleza (como aquellas otras primeras ciudades fundadas en las Antillas y en la Tierra Firme por sus antecesores). La construye Alonso García Bravo, el alarife que habría de edificar la Ciudad de México sobre las ruinas de Tenochtitlán.[4]

> "Las ciudades de la desenfrenada conquista no fueron meras factorías, reitera Ángel Rama en su *Ciudad letrada*. Eran ciudades para quedarse y por lo tanto focos de progresiva colonización. Por largo tiempo, sin embargo, no pudieron ser otra cosa que fuertes... más defensivos que ofensivos, recintos amurallados dentro de los cuales se destilaba el espíritu de la polis y se ideologizaba sin tasa el superior destino civilizador que le había sido asignado (*Op.cit.*, p. 17).

Si la primera ciudad creada en la Nueva España es una escritura notarial, Tenochtitlán, en la escritura, es mítica. Lo sabemos también por los cronistas, y gracias a los informantes indígenas, quienes conformaron los relatos de los misioneros: fray Diego Durán relata cómo, en su peregrinación en busca de la ciudad prometida, los aztecas llegaron a una fuente

> ...blanca toda, muy hermosa... Lo segundo que vieron, fueron que todos los sauces que aquella fuente al rededor tenía, eran blancos, sin tener una sola hoja verde: todas las cañas de aquel sitio eran blancas y todas las espadañas al rededor. Empezaron a salir del agua ranas todas blancas y pescado todo blanco, y entre ellos algunas culebras del agua, blancas y vistosas.[5]

Ese espacio maravilloso, deslumbrante, revela, según Sahagún, la consumación de la profecía: "De cómo los mexicanos avisados de su Dios, fueron a buscar el tunal y el águila y cómo lo hallaron y del acuerdo que para edificar el edificio tuvieron".[6] Durán señala un sitio paradisiaco e impoluto, Sahagún subraya su carácter de espacio sagrado sobre el que se construirá un templo. La ciudad escriturada por Cortés podría ser a lo sumo fantástica por su carácter imaginario y porque en lugar de estar asentada en un territorio concreto está asentada en un libro de actas; en realidad, es un proyecto político, una nueva visión del mundo, un tratado de apropiación y la segunda ciudad fundada por él, la otra Villa Rica de la Vera Cruz, es, repito, antes que nada un enclave estratégico. Oposición definitiva remachada en la literatura. La segunda Veracruz es una ciudad histórica; la Veracruz escriturada y la Tenochtitlán cosmogónica son un puro acto de escritura, donde lo inexistente se funda y lo destruido se consolida y resucita. Ambas definen antes que dos modalidades de escritura dos visiones radicalmente opuestas del mundo. Cortés inaugura lo que según Rama será la ciudad letrada del barroco, y los otros cronistas reconstruyen un mundo calcinado.

*La estrategia como metáfora*

Significativamente, cuando por fin, después de múltiples peripecias y posposiciones angustiosas, la ciudad de Tenochtitlán aparece ante los ojos maravillados de los españoles, Cortés la describe jerarquizando sus preferencias, y aunque asegure que "la pasión es la cosa que más aborrezco", se contradice acudiendo a la hipérbole como verbalización incompleta de su entusiasmo: al contemplar por primera vez la gran urbe, dice:

Porque para dar cuenta, muy poderoso señor, a vuestra real excelencia, de la grandeza, extrañas y maravillosas cosas de esta gran ciudad de Temixtitán... sería menester mucho tiempo, y ser muchos relatores y muy expertos; no podré yo decir de cien partes una, de las que de ellas se podrían decir, mas como pudiere diré algunas cosas de las que vi que, aunque mal dichas, bien sé que serán de tanta admiración que no se podrán creer, porque los que acá con nuestros propios ojos las vemos, no las podemos con el entendimiento comprender" (p. 62).

La incapacidad de verbalizar la maravilla termina en el silencio. Lo que las palabras pueden describir es lo concreto, aquello que "el entendimiento sí puede comprender"; comienza con la topografía y señala las "ásperas sierras" que rodean al llano donde están las dos lagunas, la de agua salada y la de agua dulce; habla ahora el político, el militar; descubre los múltiples peligros a los que los españoles estarían expuestos si no toman medidas estratégicas, primero para prevenir sorpresas en una ciudad cuya estructura acuática las propicia, en gran medida, por los numerosos puentes que cruzan sus calles de tierra y de agua, permitiendo el "trato", es decir, un organizado y admirable comercio, pero también las emboscadas. Cabe aquí hacer una digresión: en el plano llamado de Cortés, enviado por éste a Carlos V, descrito por Pedro de Mártir de Anglería, y publicado en Nuremberg en 1524 junto con la segunda y tercera Cartas de relación, la ciudad parece inexpugnable; tanto, que Durero la toma como modelo arquitectónico de la ciudad ideal, punto de partida de los arquitectos visionarios del Renacimiento. De nuevo realidad y "desfiguro" se juntan permitiendo un muy débil márgen de diferenciación.[7]

La inexpugnabilidad aparente de la ciudad y la conciencia del peligro aceleran una operación singular. La resumo y explico sus antecedentes: inmediamente después de la fundación de la segunda Veracruz, la ciudad-fortaleza, Cortés cumple la hazaña de "quemar sus naves". En su peculiar estilo, a la letra dice:

> Y porque demás de lo que por ser criados y amigos de Diego Velázquez tenían voluntad de se salir de la tierra, había otros que por verla tan grande y de tanta gente y tal, y ver los pocos españoles que éramos, estaban del mismo próposito, creyendo que si allí los navíos dejase, se me alzarían con ellos... tuve manera como, so color de que los dichos navíos no están para navegar, los eché a la costa por donde todos perdieron la esperanza de salir de la tierra (p. 33).

Para andar en "tierra firme" son fundamentales los caballos, cuyo papel en la Conquista ha sido muy a menudo esclarecido. Menos relevancia se ha dado en este contexto al binomio agua-tierra firme cuya resolución concreta estaría patente en la mancuerna bergantines-caballos, disuelta durante un tiempo por la decisión de Cortés de dar al través sus naves y entrar desembarazado de su peso en el inmenso territorio que, en breve, y bautizado por él, se conocería como la Nueva España. Una vez en la tierra prometida, apoderado provisionalmente del objeto de su deseo, la ciudad de Tenochtitlán, Cortés, previsor, calcula de inmediato que

> ...por ser la ciudad edificada de la manera que digo, y quitadas las puentes de las entradas y salidas, nos podrían dejar morir de hambre sin que pudiésemos salir de la tierra; luego que entré en dicha ciudad di mucha prisa en hacer cuatro bergantines, y los hice en

> muy breve tiempo, tales que podían echar trescientos hombres en la tierra y llevar los caballos cada vez que quisiésemos (p. 63).

Estamos como en el teatro isabelino, en *Macbeth* la selva avanza, en Cortés el mar penetra en tierra firme. Pero lo más impresionante, sobre todo si lo comparamos con la ciudad actual, es que se trata de un hecho verdadero: cuando describe la laguna salada, el Conquistador señala cómo...

> ...crece y mengua por sus mareas según hace la mar todas las crecientes, corre el agua de ella a la otra dulce tan recio como si fuese caudaloso río, y por consiguiente a los menguantes va la dulce a la salada (p. 62).

La acción de construir los bergantines, concebida como simple estrategia, termina por convertirse en una especie de profecía histórica y lo que Cortés intenta evitar al construir las naves, definitivas luego en la gran batalla final, se revierte sobre los mexicanos: son ellos los que, al ser quitadas las puentes y cegadas las entradas de las calles, perecen de hambre junto con su ciudad. Debido al gran abismo que existe entre la concreción y la hipérbole, se propicia en la Conquista una metáfora singular y, como decía en su interesante estudio Beatriz Pastor,[8] la realidad se ficcionaliza.

*Un minucioso proceso: cegar el agua*

La populosa ciudad se destruye gracias al implacable mecanismo que consiste en cegar las calles de agua y hacerlas "tierra firme", al tiempo que se quitan los puentes, se asolan y queman las casas, se organizan los ataques desde el lago, a bordo de los bergantines y los caballos vuelven a circular libremente por las calles cegadas como circulaban antes de llegar a Tenochtitlán. La imagen se vuelve macabra: la operación iniciada con palas y azadones se acelera al final del sitio, y son los cadáveres de los habitantes de la ciudad los que en lugar de las piedras, la madera y el carrizo, usados por los españoles para cubrir las zanjas, rellenan los estratégicos canales:

> Y como en estos conciertos se pasaron más de cinco horas y los de la ciudad estaban todos encima de los muertos, y otros en el agua, y otros andaban nadando, y otros ahogándose en aquel lago donde estaban las canoas, que era grande, era tanta la pena que tenían, que no bastaba juicio a pensar cómo lo podían sufrir... y así por aquellas calles en que estaban, hallábamos los montones de los muertos, que no había persona que en otra cosa pudiese poner los pies... (p. 161).

La conquista cambia totalmente la fisonomía de la ciudad. Bernal recuerda con nostalgia...

> y diré que en aquella sazón era muy gran pueblo, y que estaba poblada la mitad de las casas en tierra y la otra mitad en el agua; ahora en esta sazón está todo seco, y siembran donde solía ser laguna, y está de otra manera mudado, que si no lo hubiera de antes visto, dijera que no era posible, que aquello que estaba lleno de agua esté ahora sembrado de maizales (p. 239).

Lo que Alfonso Reyes en la *Visión de Anáhuac* llamaba la lenta labor de desecación del Valle de México, ha sido definido mejor por Cortés, autor de la estrategia de la cegazón, estrategia que de manera implacable fue perfeccionándose a lo largo de los siglos hasta producir la ciudad más grande y contaminada del mundo, el páramo en que vivimos hoy.

*Intermezzo: la ciudad moderna*

La nueva ciudad se reconstruye desde 1522 sobre las ruinas de la primera. Para el 15 de mayo de ese año Cortés dice con orgullo que la ciudad está ya "muy hermosa", aunque él no vuelve a habitarla sino hasta el verano de 1523; mientras, vive en Coyoacán, ciudad situada en tierra firme.

En su admirable libro *Arquitectura mexicana del siglo XVI*, George Kubler demuestra que México fue siempre una ciudad populosa: "La comunidad insular albergaba una población de 50 a 100,000 personas entre 1522 y 1550; en consecuencia era la ciudad más grande del mundo hispánico y sobrepasaba a muchas de las capitales europeas".[9] Esta descripción sigue siendo válida pero con signo negativo. Cortés se preocupa sobre todo por la arquitectura civil, por la futura ciudad de los palacios. Las construcciones religiosas a cargo de los misioneros no se equiparan con los edificios particulares, al grado que, para 1554, cuando Cervantes de Salazar escribe sus *Diálogos latinos*, Alfaro, uno de los personajes, exclama al ver la Catedral:

> Da lástima que en una ciudad a cuya fama no sé si llega la de alguna otra, y con vecindario tan rico, se haya levantado en el lugar más público un templo tan pequeño, humilde y pobremente adornado.[10]

Desde el principio, Cortés piensa en una ciudad moderna y estratégica: la inicia construyendo las atarazanas:

> Puse luego, por obra, como esta ciudad se ganó, de hacer en ella una fuerza en el agua, a una parte de esta ciudad en que pudiese tener a los bergantines seguros, y desde ella ofender a toda la ciudad si en algo se pudiese, y estuviese en mi mano la salida y entrada cada vez que yo quisiese. Está hecho tal, que aunque yo he visto algunas casas de atarazanas y fuerzas, no las he visto que la iguale (p. 196).

Pero en realidad las atarazanas son una especie de museo para alojar a los bergantines, casi reliquias personales; situadas, como antes la ciudad prehispánica, mitad en el agua y mitad en tierra firme, ya no protegen nada. La idea de la fortaleza con que se inicia la fundación de la Nueva España se reproduce de nuevo en la muy noble Ciudad de México, pero apenas como otra forma de teatralidad y para mantener la vieja costumbre, instaurada en las Islas y en la Tierra Firme. Las verdaderas fortalezas son las casas particulares, las de los conquistadores, quienes han recibido como premio sus solares. La ciudad en sí, una de las primeras ciudades modernas en el mundo, carece de murallas.

*La reconstrucción en la escritura*

Entre la Villa Rica de la Vera Cruz, ciudad nacida en la escritura y la Ciudad de los Palacios, ciudad concreta, se inscribe Tenochtitlán, ciudad de la memoria. De igual manera que las antiguas culturas de la Nueva España y sus cosmogonías resucitan en la obra de los cronistas, la labor inexorable de destrucción, el timbre de mayor gloria de que pueden alabarse los conquistadores, según Las Casas, se neutraliza en cierta forma gracias a la escritura. A pesar de que le falta lengua para hacerlo es Cortés quien mejor reconstruye a Tenochtitlán a lo largo de las páginas de la *Cartas de relación*: sólo se mata lo que se ama. En Bernal la descripción es diferente, es obvio, no tiene la inclinación política que hace de su jefe el gran estadista que conocemos. Parco al grado de ser severo y cuidadoso, en la medida en que sus *Cartas de relación*, sobre todo las tres primeras, determinarán su posición frente a Carlos V, Cortés se desmanda cuando habla de Tenochtitlán y, proporcionalmente, el espacio que le dedica en su segunda Carta es inmenso. Después de los asuntos estratégicos, vitales para la Conquista, lo que más atención le llama es el mercado, porque en él se despliega con mayor perfección "el primor, las maneras y policía de una nación que, asombrosamente apartada de otras naciones de razón", puede superarlas así. Compara lo que ve con lo que ha visto en Sevilla y en Córdoba y señala que en ese espacio cabe dos veces Salamanca. Bernal, modesto, recuerda su propia ciudad, Medina del Campo, pero añade que varios soldados viajeros que han estado en Constantinopla y en Roma estiman que Tenochtitlán las supera.

El templo es descrito por el Conquistador con admiración y con horror; es comprensible, los sacrificios humanos parecen corroborar su necesidad de destruir esa cultura. Los palacios de Moctezuma sobrepasan todo lo que la imaginación pueda elaborar, y lo que le atrae específicamente es la facultad con la que los artesanos indígenas "contrahacen" todo lo que existe bajo la tierra, en orfebrería y en arte plumaria. Esa facultad de la contrahechura –¿podrá decirse así?– es muy significativa si se advierte que Moctezuma, además de los zoológicos donde se albergan todos los linajes de animales del reino, tiene encerrados en recintos especiales a los seres contrahechos. Contrahacer es "hacer una cosa tan parecida a otra, que con dificultad se distingan", dice la real Academia; a la vez, lo contrahecho es lo deforme, lo torcido, una desviación de lo natural. Instalados en un museo, los seres contrahechos sólo sirven para ratificar el orden. Quizá Cortés hubiera deseado poseer el talento de esos artesanos que contrahacían las obras de natura, cuando trataba de reproducir en sus *Cartas* la grandeza de la ciudad que destruyó. Con su pluma, copia "del natural", a la manera de los artesanos, la ciudad que tanto admiró; la contrahace, es decir, la recrea, le da vida en la escritura, pero, consciente de que lo real no regresa, en la cuarta Carta, desde su palacio, construido en lo que antes fuera el palacio de Moctezuma, resume con nostalgia:

> En la población donde los españoles poblamos, distinta de la de los naturales, porque nos parte un brazo de agua, aunque en todas las calles que por ella atraviesan hay puentes de madera, por donde se contrata de la una parte a la otra. Hay dos grandes mercados de los naturales de la tierra, el uno en la parte que ellos habitan y el otro entre los españoles; en estos hay todas las cosas de bastimentos que en la tierra se pueden hallar... ... y en esto no ha falta de lo que antes solía en el tiempo de su prosperidad. Verdad es que joyas de oro, ni plata, ni plumajes, ni cosa rica, no hay nada como solía... (p. 197).

Aparta lo extraño, lo indígena, "con un brazo de agua", pero no puede resguardarse de la nostalgia, verdadera, como lo es también la destrucción: ni la primera ciudad fundada por Cortés, la Villa Rica de la Veracruz, ni Tenochtitlán existen ya: pueden revivirse gracias a su pluma, y pasar a formar parte de la fama, esa tercera vida, la que precisa de las letras para perpetuarse, o de la contrahechura. ¿Pues qué otra cosa es la escritura sino una contrahechura de la realidad?

## IV

## LAS CASAS: LA LITERALIDAD DE LO IRRACIONAL*

### *Barbarie y civilización*

"La función primaria del término 'bárbaro' y de los demás términos del mismo origen... era distinguir a los miembros de la sociedad a la que pertenecía el observador de los que no lo eran", explica Anthony Pagden.[1] Bien sabemos que esta incapacidad de reconocer al otro, o reconocerlo como inferior, es también una de las constantes de la conquista: "Ciertamente el deseo de hacerse rico y la pulsión de dominio, esas dos formas de aspirar al poder, motivan el comportamiento de los españoles; pero también está condicionado por la idea que tienen de los indios, idea según la cual éstos son inferiores, en otras palabras, *están a la mitad* del camino entre los hombres y los animales", afirma Todorov en su polémico y bien conocido libro.[2] Más adelante, reitera: "Las Casas y otros defensores de la igualdad acusaron tantas veces a sus adversarios de haber confundido a los indios con bestias que podríamos preguntarnos *si no ha habido exageración*". En un escrito anterior, Edmundo O'Gorman precisa: "Lo que se ventila, entonces, no estriba en aclarar si el indio *es o no* hombre, lo que nadie duda, sino

* Este texto apareció en Mercedes de la Garza, ed, *En torno al Nuevo Mundo*, UNAM, México, 1992, pp.77-91.

en determinar si lo es plenamente, o para decirlo de otro modo, en determinar *el grado* en que se realiza en él la esencia humana".[3]

*Características de la bestialidad*

Lo irracional se liga irremisiblemente con lo animal: para mostrar la literalidad con que Fray Bartolomé de Las Casas maneja esta ecuación, me limitaré a analizar las secuencias narrativas de los capítulos finales del Libro II de su *Historia de las Indias*; [4] allí el fraile dominico explora literalmente la ecuación razón-humanidad y utiliza como ilustración episodios concretos de la Conquista de los que fue "testigo de vista" o que le fueron relatados por los protagonistas. Las secuencias narrativas le permiten a Las Casas representar "de bulto" situaciones específicas y subrayar de manera paralelística lo que se discutirá en el debate filosófico en relación con la "dosis" exacta de humanidad que poseen los indígenas. Los capítulos mencionados relatan el fracaso en 1510 de las expediciones de Diego de Nicuesa y Alonso de Hojeda a la Tierra Firme; expediciones organizadas para conseguir oro y esclavos, cuya justificación se apoya en el concepto de la guerra justa y la irracionalidad de los indios.

Estar desnudo es una de las formas de la irracionalidad ¿Qué duda cabe? "Los indios andan en cueros, como armas tienen sólo aparejados sus arcos y flechas y, como broqueles, sus barrigas" (II, p. 259). Son, obviamente, vulnerables, objetos de carnicería: "No se atrevían los indios a acercarse por temor de las espadas que cortaban vientres, desbarrigaban, desbarataban, desparcían" (II, p. 261). En Puerto Rico, Juan Ponce de León funda una ciudad con las casas hechas todas de paja: "... él para sí hizo una de tapias, que bastó para fortaleza, como quiera que los indios no tengan baluartes de hierro ni culebrinas y la mayor fuerza que pueden poner para derrocar la casa hecha de tapias es a cabezadas..." (II, p.386). Esos cuerpos frágiles, exhibidos para hendirse o violarse, pueden también ser los de los brutos. ¿Quiénes, si no, la emprenden a cabezadas contra los muros? Y por ello se les trata como a tales, se utilizan como bestias de carga, se les alimenta con pan de cazabe y ají, "simples hierbas", califica Las Casas, y se les revuelve con el ganado; compiten con él: enfrentan cabezas de vacunos con cabezas de indio, "estos indios así dados, llamaban piezas por común vocablo" (II, p. 390). Los indios eran oriundos de las islas y el ganado era traído desde España: "...llevan ganados y yeguas, que de allí bien se han multiplicado" (II, p.391). Sí, pero el ganado se acrecienta y los indios menguan. El Virrey Antonio de Mendoza advertía en 1550 a su sucesor: "V. Sa. sepa, que si se dispensa que haya ganados mayores, destruye los indios".[5]

Estos "desnudos", calificativo usado por nuestro fraile y por los conquistadores, no pueden dañarlos, aunque a veces los descalabren: "...pelearon los *desnudos* contra los *vestidos* inmensos, porque las espadas empléanse bien en los *desnudos* cuerpos; viéndose así hacer pedazos, huyeron el resto" (I, p.137). A menudo, desesperados, incapaces de soportar tantos tormentos, huyen hacia los montes. Los españoles, entonces, los montean para iniciar así un nuevo tipo de cacería en donde los animales perseguidos son los indios. Para completar la diversión están los perros bravos; también desbarrigan y cazan. Su importancia es tal que los papeles se truecan: el célebre Becerillo comparte el oficio de soldado y, "por esta causa le daban parte y media, como a un ballestero, de lo que se tomaba, fuesen cosas de comer o de oro o de los indios que hacían esclavos, de las cuales parte gozaba su amo". El orden natural se invierte: los animales se humanizan y los hombres se truecan en bestias. Es más, también entre los animales existe una gradación diversa de animalidad o principios de humanidad, si puede dársele este nombre a la acción de recibir, como cualquier soldado, su parte corrrespondiente en el botín.[6]

Desnudos como nacieron, inferiores al ganado, semejantes a los asnos, mansos como bueyes, carne de cacería como las liebres, domésticos como las gallinas –comen maíz crudo cuando están reducidos a esclavitud–, los indios entran dentro de una categoría especial, una raza híbrida que no participa por entero ni de la animalidad ni de la humanidad. Su irracionalidad es evidente; su esclavización natural;[7] su destrucción apenas lamentable; su mansedumbre incita al sadismo: ¿En Caonao, no utilizaron los soldados de Pánfilo de Narvaez a los indios para probar sus espadas, afiladas en los guijarros del río? "...y comienzan a desbarrigar y acuchillar y matar de aguijarros aquellas *ovejas y corderos*, hombres y mujeres, niños y viejos, que estaban sentados, descuidados [...] que iba el arroyo de la sangre como si hubieran matado muchas *vacas*..." (II, p. 536).

Su pobreza de espíritu, su mansedumbre "es de la gente más aparejada para ser cristianos", pero casi nunca los adoctrinan y contravienen así, con dolo, el mandamiento de catequizarlos y de convertirlos que tan a pecho se tomaba la Reina Católica. Muy devotos como lo prueba la pasión con que Alonso de Hojeda venera una imagen de la Virgen María, los españoles son incapaces de advertir, piensa Las Casas, que los indios participan de las virtudes específicamente consideradas como cristianas. Es paradójico leer las interminables descripciones de torturas sufridas por los indios y relatadas por el dominico: se tiene la impresión de oír vidas de santos o de asistir a un auto sacramental sobre los mártires del Cristianismo. Aunque esta visión parece limitarse

limitarse a la de unos cuantos misioneros y no hace mella en la conciencia general de los conquistadores, en un breve lapso sus conductas se aceptan como si fueran "naturales" y cualquier guerra es considerada, en las Indias, una guerra justa.

*Los naufragios*

Astutamente, mediante la simple narración de los hechos, Las Casas descubre el reverso de la medalla. Según la práctica diaria, la "experiencia" de los conquistadores comprueba que los indios, "naturalmente inferiores", deben ser esclavos. Su inferioridad está determinada sobre todo porque permanecen en estado de naturaleza. ¿Qué sucedería si pasase lo contrario y los españoles enfrentasen las adversidades naturales? ¿Se convertirían, asimismo, en ejemplos del hombre natural?

Quizá una de las formas de la racionalidad sea la capacidad de cambiar de comportamiento a partir de la experiencia. Las Casas alega que los indios son hombres y por tanto seres provistos de razón, capaces de aprendizaje y de modificar su conducta, según lo exijan las circunstancias. Acostumbrados a la mansedumbre de los indios de las Antillas, los españoles se enfrentan a los naturales de las costas de Colombia con la misma despreocupada violencia que en la Española. Pero si los españoles se defienden, ¿por qué no los indios? Envalentonado por la fácil derrota inflingida a los indios de Calamar, Hojeda, imprudente, "y demasiadamente animoso", se dirige al pueblo de Turbaco. Desoye los consejos de Juan de la Cosa y se lanza al ataque, los indios, advertidos, han huido. Felices de su triunfo, los expedicionarios se descuidan y caen en una emboscada donde junto con 70 soldados muere Juan de la Cosa, quien, prudente y recordando una experiencia anterior en esa misma costa, ha prevenido a Hojeda de los peligros de la zona. "Señor, *paréceme* que sería mejor que nos fuésemos a poblar dentro del Golfo de Urabá, donde la gente no es tan feroz ni tienen tan brava hierba, y aquélla ganada, después podríamos tornar a ganar ésta con propósito" (II, p. 393). Las ovejas se han convertido en lobos. Las comparaciones con animales que los españoles utilizan para referirse a los indios vuelven a emplearse aquí, sólo que referidas a los propios españoles, los hombres de Hojeda y de Nicuesa: ahora les toca a ellos salir corriendo "como si fueran venados cercados". Las correspondencias son exactas, el perfecto tramado de la misma medalla vista al revés. El arte de la cacería supone un ritual donde los hombres persiguen a los animales pero, en este caso, son ellos los cazadores cazados.

Hojeda se mimetiza con las flechas y "sale por medio de los indios corriendo y aun huyendo, que parecía ir volando" (II, p. 394). La llegada providencial de Nicuesa los salva por un breve tiempo de la "ferocidad" de los indígenas; los aliados recuperan el valor, regresan al pueblo de Turbaco y lo arrasan a sangre y fuego. Aquí entran a jugar su parte los caballos: "[Las mujeres,]... que nunca los habían visto, se tornaban a las casas que ardían, huyendo más de aquellos animales, que no los tragasen, que de las vivas llamas" (p. 396). Confederados, Hojeda y Nicuesa se retiran con un botín de 7,000 castellanos de oro. Las Casas interrumpe aquí la narración y cree necesaria reiterarla mediante la parábola contenida en el ejemplo ya narrado –como si pronunciase un sermón desde el púlpito– y, al subrayar la incapacidad de sus compatriotas para aprender por la experiencia, formula una de sus más importantes ideas:

"Será bien aquí considerar, porque *por las cosas no pasemos como*

> *pasan los animales*, ¿qué injuria hicieron los vecinos del pueblo de Calamar a Hojeda y a Juan de la Cosa y a los que consigo llevaron? ¿Qué haciendas les usurparon? ¿Qué padres o qué parientes les mataron? ¿Qué testimonios les levantaron o qué culpas otras contra ellos cometieron, estando en sus tierras o casas pacíficos? *Item.*, ¿fue alguna culpa suya , los del pueblo de Turbaco matar a Juan de la Cosa y a los demás, yendo a hacer en ellos lo que habían hecho los españoles a los del pueblo de Calamar? ¿Y fuera culpa vengable que lo hicieran, solamente por castigar y vengar la matanza que los nuestros hicieron en los vecinos inocentes de Calamar? ¿Hobiera gente o nación alguna en el mundo, *razonable*, que por autoridad de la ley y *razón natural*, que no hiciera otro tanto? *Todas las naciones del mundo son hombres, y de cada uno dellos es una no más la definición*, todos tienen entendimiento y voluntad, todos tiene cinco sentidos exteriores y sus cuatro interiores, y se mueven por los objetos dellos..."(II, 396).[8]

Desconocerlo es un pecado; el anatema surte efecto: el castigo divino no se hace esperar y Hojeda, en San Sebastián, la población fundada por él en esas costas, recibe en carne propia el peso, la marca de esa enseñanza; ligero y ágil como un ciervo o una saeta, en correspondencia con las flechas rabiosas que caen sobre sus compañeros y desperdigan san sebastianes a granel, él que "nunca hasta entonces hombre le había sacado sangre", es flechado "por una bestia feroz" en el muslo izquierdo. Exige que lo curen con una barra al rojo vivo (¿ejemplarización del refrán que dice que el que a hierro mata a hierro muere?). Las Casas no deja de admirarlo: "Esto sufrió Hojeda voluntariamente, sin que lo atasen ni tuviesen; argumento grande de su grande ánimo y señalado esfuerzo" (II, p. 400). La conducta viril siempre lo entusiasma y cabe una leve sospecha de que a menudo los indios mansos le hubieran gustado un poco más si hubiesen prestado menos sus carnes al hendimiento.[9]

*La vorágine*

Las dos cadenas y sus eslabones –la animalidad y su consecuencia, la irracionalidad; la mansedumbre y su opuesto, la ferocidad– delimitan la fuga, y delinean un volumen, una estrategia narrativa en donde las anécdotas ejemplifican (¿parabolizan?) un acontecer histórico, mientras modelan un espacio común donde se representa la caída y se refuerza la tesis principal, resumida así por Pagden: "[Las Casas] deseaba probar que bajo diferencias culturales evidentes entre las razas de hombres existían los mismos imperativos sociales y morales" (p. 172). El espacio elegido para documentar la caída en lo irracional es el de la selva que todo lo devora, espacio frecuentado más tarde por la novela telúrica de los años 20 de este siglo, profundamente preocupada por el viejo problema de la civilización y la barbarie, como en *La Vorágine* de José Eustasio Rivera, localizada justo en ese mismo lugar, en el territorio de Colombia y a cuyos protagonistas también "se los *traga* la tierra".

El fuego da cuenta de las mujeres de Turbaco; ese mismo fuego abrasa doblemente a Hojeda, quien, con 70 compañeros decide embarcarse para pedir refuerzos. En la fortaleza quedan otros tantos hombres, capitaneados por Francisco Pizarro, el futuro conquistador del Perú. Hojeda llega a Cuba, aún no colonizada; allí la ciénaga se traga a varios de sus hombres y, simultáneamente, en Tierra Firme, ya en el desastre, en la indigencia, y dispuestos a abandonar su fortaleza, un cocodrilo que no le teme a los caballos, se traga una yegua del campamento de Pizarro. Algunos de los hombres de Hojeda y éste mismo quedan ilesos, por obra, dice Las Casas, de su devoción, por una imagen flamenca de la Virgen María, regalo del Obispo de Burgos, Juan de Fonseca, de quien Hojeda fue protegido. Los indios de Cuba, ignorantes aún de la fama de los colonizadores, los acogen como "los indios universalmente lo saben hacer donde no han sido primero agraviados", es decir, como si los conquistadores fueran sus hijos. Hojeda les deja la imagen y funda una ermita; de esa forma se libra de ser tragado por el pantano y tiene por ello "un fin menos desastrado que los otros", como Nicuesa, por ejemplo, a quien más tarde se lo traga el mar. En su muy particular estilo concluye nuestro fraile, "pero yo lo atribuyo que por honra de la Madre de Dios, quiso dispensar con él la divina justicia en que muriese en su paz y en su cama, quito de baraúndas, para que tuviese tiempo de llorar sus pecados, en esta ciudad de Santo Domingo" (II, pp. 405-406). El padre las Casas avisa que existen varias versiones de su muerte, pero él prefiere matarlo en su cama, enterrarlo a la entrada del atrio de San Francisco para que los creyentes pisen su tumba cuando llegan a la iglesia. Es más, le concede quizá el arrepentimiento y el perdón de Dios: Hojeda es para Las Casas un héroe de tragedia griega que sufre por su hybris y también un ladrón ennoblecido y perdonado por la misericordia infinita del Señor, como el personaje de *El condenado por desconfiado* de Tirso de Molina.

La racionalidad se menoscaba al contacto con lo natural. El resto de los hombres de Hojeda reciben algunos refuerzos providenciales: primero el de Enciso, luego el de Diego de Olano, lugarteniente de Nicuesa y, por fin, después de largo tiempo, el que les ofrece el propio Nicuesa: sufren diversas calamidades que se acrecientan en orden ascendente: un naufragio despoja a algunos de sus cuerpos, a otros de sus bastimentos y vestidos y los deja tan desnudos como a los irracionales de las islas. Exhaustos, enflaquecidos, sujetos a comer hierbas, han llegado casi al punto de partida, pero exactamente al revés, es decir, logran alcanzar el mismo estado que los indios en los repartimientos.

*El proceso de devoración*

Pero no han perdido su voracidad, esa voracidad que los devora, valga la frase tan manida. La pasión por el oro, presente aún en los momentos de mayor desastre, los enajena al grado que la mayor parte está, literalmente, comida por las deudas: un ejemplo es Bernardino de Talavera con quien Hojeda se embarca rumbo a Cuba; prófugo de la justicia, ladrón de embarcaciones y vituallas, la ciénaga cubana lo respeta, pero al llegar a Jamaica, junto con Hojeda, es ahorcado por el Gobernador Juan de Esquivel. Diego de Olano, sospechoso además de querer alzarse contra Nicuesa, pretende, antes de que el azar los vuelva a reunir, hacer una carabela con varias tablas de las que se han destruido por las tormentas y la bruma, "para que se pasasen a esta isla (la Española), pero también se dijo que era para se aprovechar della por ahí, e no para salir de aquella tierra, donde pensaba ser rico" (II, p. 419).

La corrosión a la que la naturaleza los sujeta no tiene ningún límite, rebasa cualquier voracidad de signo humano: amagados por la humedad, picados por los mosquitos, llenos de llagas, succionados, su salud decrece al mismo tiempo que las mareas: "Notaron en esas angustias estando, que nunca moría alguno sino cuando la mar menguaba; y como los enterraban en la arena, experimentaron que en ocho días eran *comidos* los cuerpos como si hubiera cincuenta años que los hubiesen enterrado, entendiendo que *aún el arena se daba priesa a acabarlos*. Añadióseles otro no chico trabajo, que una noche hizo tanta tormenta en la mar, que les *comió* el arenal donde tenían hechas sus chozas, por donde tuvieron necesidad de hacerlas más dentro, que les fue desconsuelo doblado" (II, p. 419). Estas imágenes en las que se pinta tan vívidamente la acción devoradora de la naturaleza anticipan la feroz visión de lo salvaje y lo civilizado representada –con mayor eficacia narrativa que en *La Vorágine*– por el modernismo brasileño de la segunda década de este siglo, especialmente en *Macunaima*, la novela de Mario de Andrade.

Su hambre es tanta que acaban devorando la placenta de una yegua recién parida y luego, cuando deciden irse, matan a cuatro yeguas que los han defendido con su imagen espantable de la ira de los indígenas y con ellas hacen tasajo como si las yeguas fueran puercas. Nicuesa, incompetente, copado por la desbordada intemperie, ha perdido todas sus gracias, es un simple tirano, cuya caracteristica es la *ferocidad,* defecto clásico del *tirano*: "todo hombre cruel, inhumano, fiero y violento alejado de la humana razón",[10] definido también por Calderón como un "hidrópico de sangre". Nicuesa, incompetente, copado por la desbordada intemperie, ha perdido todas sus gracias, es un simple tirano, un bárbaro. ¡Qué lejos está de aquel mancebo que a punto de embarcarse describiera Las Casas como "persona muy cuerda y palanciana y graciosa en dir, gran tañedor de vihuela y sobre todo gran jinete, que sobre una yegua que tenía, que pocos caballos en aquel tiempo habían nacido, hacía maravillas" (p. 374). Descripción que, en verdad, se acomoda más a un juglar o a un cortesano que a un Gobernador de Tierra Firme.

Y los cronistas que les hacen tanto el asco a los indios que comen lagartijas, insectos, víboras, una de las pruebas definitivas de su irracionalidad, compadecen a los hombres de Nicuesa, reducidos a su suerte en un paraje abandonado, donde "vinieron a tanta hambre y penuria, que ni sapos, ni ranas, ni lagartos ni otras cosas vivas, por sucias que fuesen, no dejaban de comellas" (II, p. 425). La suciedad se vuelve carne de su carne, cuero de su cuerpo: "...hallando un indio que ellos o otros debían haber muerto estando ya hediendo, se lo comieron todo, y de aquella corrupción quedaron tan inficionados que ninguno escapó" (II, p.427). Es, cierto, un paisaje apocalíptico, el castigo de Dios, su justicia divina.

Lo natural provoca la irracionalidad, en el sentido más literal de esa palabra, la pérdida de la razón, el sano juicio: "Díjose que andaban, *como personas sin juicio*, a un cabo y a otro, dando alaridos, pidiendo a Dios misericordia, que se doliese de sus desventuradas vidas y también de sus ánimas" (II, p. 421). El tradicional adversario de Las Casas en esta polémica de la humanidad o irracionalidad del indio, Ginés de Sepúlveda, piensa que la máxima virtud de los seres racionales es la paciencia;[11] gracias a ella se construye un buen gobierno, el destinado a regular a esos hombres que poseían una dosis menor de humanidad. Pero en condiciones "naturales" el hombre superior pierde la paciencia y hasta la postura erguida, propia, como bien sabemos, de los orgullosos humanos: "Estuvieron en aquella isla muchos días, y, según entendí, más de tres meses, muriéndose dellos cada día de pura hambre y sed y de las hierbas que comían y del agua salobre y los que quedaban vivos andaban *ya a gatas, pasciendo* las hierbas y comiendo crudo el marisco, porque no tenían vigor para poder *andar enhiestos"* (p. 421).

La ira desencadenada del profeta ha encontrado su destino. La humanidad es una sola, como quería Las Casas, y en esta exacta correspondencia de racionalidad-irracionalidad, el padre dominico ha rascado hasta el fondo de la médula. Los que hacían morir, los denigradores del cuerpo de los otros, van por su propio pie al moridero: "Es bien no menos mirar, concluye apaciguado Las Casas, y notar si estas muertes y perdiciones de estos capitanes y gobernadores primeros y de sus gentes, si fueron milagros con los que Dios y su recto juicio y justicia quiso aprobar y justificar las demandas que traían y los fines que pretendían; *Item*, si por ellos se aprobaron y justificaron las obras semejantes, y los fines e intentos mismos que los gobernadores y capitanes, que después déstos em aquella terra firme sucedieron, perpetraron, trujeron, cometieron y pretendieron..." (II, p. 431).

Nicuesa y Hojeda, Juan de la Cosa y Diego de Olano son, como algunos otros personajes lascasianos, *figuras*, en el sentido borgiano; o mejor, están construidos a manera de emblemas alegóricos y cumplen para el cronista la función que tienen las parábolas en el (su) Evangelio. Concebida como un gigantesco sermón, la *Historia de las Indias* consigue de manera totalmente distinta –a veces casi irracional por que apela a lo instintivo–, lo que el fraile dominico se había propuesto en su *Apologética Historia*, a través de una apretada conceptualización filosófica. Sancionada esta escritura por la experiencia implícita en su testimonio (ser "testigo de vista" o "de oído") el padre Las Casas ataca desde dos frentes: para defender su tesis recurre en su *Historia* a la forma narrativa y en su *Apologética* se dedica sobre todo a probar, mediante la filosofía, la racionalidad de todos los humanos, insertando en esa categoría a los indios. Pero no sólo eso, ya lo hemos reiterado, Las Casas consigue demostrar que en estado de naturaleza todos los hombres pueden ser tiranos, en suma, "bárbaros". De esta manera cumple con el precepto evangélico de no mirar la paja en el ojo ajeno sino en el propio o, dicho con otras palabras, no sólo observa al otro como quería Todorov –"Quiero hablar del descubrimiento que el *yo* hace del *otro*"–[12] sino, y, esto es fundamental, es capaz de descubrir, en múltiples ocasiones, que *también* los españoles pueden ser *el otro*.

V

# EL CUERPO INSCRITO Y EL TEXTO ESCRITO O LA DESNUDEZ COMO NAUFRAGIO: ÁLVAR NÚÑEZ CABEZA DE VACA.*

*"El que salió desnudo..."*

El naufragio, una de las formas más refinadas del infortunio, cuenta entre sus maldiciones la desnudez, estado esencial –adánico del hombre– pero rechazado por él, o por Dios, desde el instante mismo en que expulsó a Adán y Eva del Paraíso, cubiertas sus vergüenzas por la púdica y verde hoja de parra, primera y lujosa vestimenta de la Humanidad: es evidente que de acuerdo con esta perspectiva, la historia de la civilización empezaría con el vestido.

A partir del primer viaje de Colón, la desnudez adquiere connotaciones específicas; se reviven viejos mitos y se los transforma de acuerdo con los territorios recién descubiertos. Resurge el mito bíblico del Edén materializado en esas tierras nuevas y localizado generalmente en una isla; dicho mito, reforzado por su versión helénica, el de la Edad Dorada, engendra una serie de variantes, entre las que se cuenta la de la

* Este texto, ahora corregido y aumentado, apareció en la Revista de la Universidad, mayo, 1992 y formará parte de las Actas del Coloquio Uomini dell'altro Mondo, organizado por Antonio Melis en la Universidad de Siena; asimismo, será un capítulo de la compilación preparada por mí, que intitulada Notas y Comentarios sobre Álvar Núñez Cabeza de Vaca, publicará Grijalbo-Conaculta.

Fuente de la Eterna Juventud, localizada también en una supuesta isla, la llamada Bimini (Florida) por Juan Ponce de León...[1]

La desnudez edénica presupone la inocencia –la de nuestros primeros padres y la de los pobres de espíritu y los bárbaros– y la hermosura, pero también, en cierto modo, la inmortalidad. Para los conquistadores la desnudez de los indígenas evoca –y provoca– un erotismo. La polarización absoluta de la desnudez se encuentra en el naufragio, entendido como la pérdida total o provisoria de la territorialidad y la civilización; figurada, la primera, por la destrucción de los barcos y, la segunda, por la carencia de vestimenta. La forma extrema del mito simboliza la caída o la pérdida del Paraíso y la inocencia, además, la deserotización del cuerpo, librado a la intemperie y al hambre.

Quizá *Naufragios* de Álvar Núñez Cabeza de Vaca[2] sea la obra que mejor delimite ese tipo de infortunio, en su doble proyección utópica y realista. Libro ejemplar: relata el increíble esfuerzo que el protagonista hizo por sobrevivir –junto con tres compañeros– durante los interminables casi diez años en que, como él mismo dice, "por muchas y muy extrañas tierras anduve perdido y en cueros...", después del fracaso de la expedición de Pánfilo de Narváez en 1527 que contaba con más de cuatrocientos hombres, setenta caballos, varias embarcaciones, bastimentos y rescates. Esas extrañas tierras ocupan nada menos que una parte considerable del territorio norteamericano y grandes extensiones de la actual República Mexicana.

Aunque numerosas catástrofes abren y cierran su relación –metafórica, sintomática y circularmente–, el verdadero naufragio se inicia justamente con la desnudez: después de perder sus propios navíos –ya en sí la forma primordial de naufragio, de acuerdo con la etimología de la palabra–[2a] los expedicionarios tratan de enderezar, después de una tempestad, una barca construida torpemente por ellos, a fin de dirigirse a un puerto seguro; algunos miembros de la expedición se desvisten para tener mayor agilidad de movimientos, pero un golpe de agua se lleva barca, ropa, bastimentos. Los náufragos quedan desnudos –"como nacimos"–, convertidos en seres infrahumanos, desconocidos para sí mismos y también para los indios que cuando los ven así transformados, "espantáronse tanto que se volvieron atrás". El temido y despreciado estado de salvajismo –simbolizado por la desnudez, privilegiado por la utopía y rechazado por la civilización– se ha vuelto de golpe parte de su cuerpo y, literalmente, cuero de su cuero: expuestos al terrible frío de noviembre están "tales que con poca dificultad nos podían contar los huesos [...] hechos propia figura de la muerte" (p. 98).[3]

Es necesario determinar entonces el espacio narrativo donde este nuevo yo documenta su estado de desnudez, el estadio más definitivo del naufragio. Para ello Álvar Núñez organizará en su relación una estrategia escrituraria totalmente adecuada a esa vida que le permitió, valga la expresión, salvar el pellejo, pues ¿qué otra cosa además de pellejo le queda a un cuerpo que está en los huesos? El relato se adhiere como piel a la estructura interna del cuerpo escriturario y rescata el cuerpo del narrador que ha expuesto el pellejo en servicio del rey, como bien puede verificarse en las siguientes frases donde veladamente exige un premio:

> ...y que no tuviera yo necesidad de hablar para ser contado [a través de la relación...] Lo cual yo escribí con tanta *certinidad* que aunque en ella se lean algunas cosas muy nuevas y para algunos muy difíciles de creer, pueden si duda creerlas, *y creer por muy cierto que antes soy en todo más corto* que largo y bastará para esto haberlo yo ofrecido a Vuestra Majestad como tal. A la cual le suplico la re-

ciba *en nombre de servicio*, pues éste sólo es el que un hombre que salió *desnudo* pudo sacar consigo" (pp. 62-63).

Con esas palabras termina su Proemio, ofrecido al rey como servicio y asociado a un hombre que, repito, es descrito específica y literalmente como un cuerpo desnudo.[4]

*"Irán desnudos mis renglones de abundancia..."*

La mayor parte de las expediciones a la Florida terminaron en el fracaso, desde que Juan Ponce de León, su descubridor, recibiera en 1512 el flamante título real de Adelantado para conquistarla. Varios cronistas se ocupan de la desastrosa expedición de Pánfilo de Narváez, entre ellos Gonzalo Fernández de Oviedo, quien en el Proemio a su *Historia General y Natural de las Indias* afirma:

> Quiero certificar a Vuestra Cesárea Majestad que irán *desnudos* mis renglones de *abundancia* de palabras artificiales para convidar a los lectores; pero *serán muy copiosos de verdad*, y conforme a ésta diré lo que no terná contradicción (cuanto a ella) para que vuestra soberana clemencia allá lo mande *polir e limar*...[5]

Este fragmento es muy significativo: Oviedo pretende desnudar su textualidad *–sus renglones–* de artificios retóricos; sin embargo consignará el mayor número de datos *–serán muy copiosos de verdad–* para examinar la asombrosa realidad de los nuevos territorios agregados a la Corona de Carlos V. La abundancia de datos es indispensable para conformar el material narrativo de una obra con pretensiones de totalidad, que pretende ser exhaustiva y, para coronarse, termina en el Libro quincuagésimo, intitulado precisamente así, *Naufragios*. La historia es para él sinónimo de verdad y la verdad no soporta la contradicción, aunque eso sí, las correcciones (*limar e polir*) que el discurso institucional –imperial– exige, es decir, silenciar todo aquello que prohibe la censura, aquello que no es canónico. La verdad inconmovible de Oviedo se expresa mediante una contradicción de principio, la que opone lo desnudo a la abundancia. La desnudez de la escritura entrañaría la inocencia total,y la convicción de que su pluma inscribe sólo la verdad (oficial). Narrar sería la capacidad de concretar y revelar, a través de la textualidad, lo verdadero, lo no artificial o mentiroso, semejante en su integridad a los cuerpos impolutos e inocentes –también canónicos– de Adán y Eva cuando, antes del Pecado Original, paseaban desnudos por el Paraíso. La desnudez de la escritura se enfrenta a la vestimenta retórica que encubre la verdad, pues desnudar el estilo equivaldría a representar prístinamente la nueva realidad –la realidad otra– de América. Por ello y por la necesidad de abarcarlo todo, es incapaz de sintetizar: en gran medida, su función de Cronista Oficial de Indias adereza sus renglones supuestamente *desnudos de artificio* y contradice esa sobriedad que Álvar Núñez concentra en la palabra *certinidad*. Oviedo define la retórica ideal del género pero no la cumple en la textualidad. Álvar Núñez no teoriza, integra la desnudez a la brevedad, porque la desnudez no se proclama, *es*; frente a la prolijidad prefiere abreviar :

> Cuento así *brevemente* pues no creo que hay necesidad de particularmente contar las *miserias y trabajos* en que nos vimos, pues considerando el lugar donde estábamos y la poca esperanza de remedio

que teníamos, *cada uno* puede pensar mucho de lo que allí pasaría... (p. 90).

La brevedad es uno de los elementos constitutivos del relato, la única forma en que puede estructurar su experiencia en un mundo privado totalmente de escritura y por tanto de historia: apela a –y se alterna con– el silencio para involucrar al lector –*cada uno*– y obligarlo a completar el texto silenciado. Obra abierta *avant la lettre* por lo tanto, los *Naufragios* se construyen entreverando bloques de relato –las peripecias desastrosas de la expedición– con muletillas manejadas a manera de estribillos que anudan y remachan el silencio: "Esto digo por excusar razones, porque *cada uno* puede ver qué tal estaríamos" (p. 99)." o "Dejo de contar aquí esto más largo porque *cada uno* puede pensar lo que se pasaría en tierra *tan* extraña y mala y *tan* sin remedio de ninguna cosa..."(p. 86), para citar sólo algunos de los numerosos ejemplos que hay en el texto de esa vieja figura retórica conocida con el nombre de preterición, ejemplos que de manera admirable telescopian los cambios "reales" reproducidos en el relato y su efecto sobre los sobrevivientes.[6] Otro tipo de muletillas utilizadas como amarres textuales son las invocaciones al lector –de quien espera una complicidad– y a la divinidad, aunadas a los agradecimientos a la Providencia sin cuya ayuda el narrador "no hubiese podido conservar la vida".[7]

La brevedad no excluye entonces el uso de figuras retóricas: mediante ellas se intensifican o exageran los esfuerzos del protagonista y sus compañeros españoles para salir con vida del peligro y poder entrar a la categoría de supérstites. Las carencias, los despojos y sobre todo los silencios de la relación, se superan utilizando hipérboles, las comparaciones negativas, reiteraciones manejadas con constancia ejemplar y hasta simétrica; su colocación estratégica tiene el objetivo expreso de hacer una recapitulación o de subrayar los diferentes cambios que la monotonía aparente de los sucesos podría borrar de la mente del lector. El texto estructura así la desnudez: limita, abrevia e intensifica; el estribillo pretende que va a omitir la formulación de los trabajos, las miserias, la necesidades de los protagonistas; en verdad su uso le otorga una significación especial: se transforman en fronteras geográficas del relato, o en puntos sobresalientes del camino como en los cuentos de hadas y, como en los corridos, se activa la conciencia subliminal de la desgracia y la de los innumerables trabajos que los sobrevivientes deben soportar, al tiempo que encubre, solapa, disimula aquello que no concuerda con el discurso oficial.

Para entender lo que dice el silencio hay que ponerle un rótulo, afirma Sor Juana en su respuesta a Sor Filotea de la Cruz:

> "... pero como éste (el silencio) es cosa negativa, aunque explica mucho con el énfasis de no explicar, es necesario ponerle algún breve rótulo para que se entienda lo que se pretende que el silencio diga; y si no, dirá nada el silencio, porque ese es su propio oficio: decir nada".[8]

Hay un equilibrio entre el silencio y la escritura de tal forma que lo que queda sin decir explicita –rotula– lo que se pretende callar: "íbamos mudos y sin lengua", aclara Álvar Núñez: El texto ha enmudecido pero el silencio habla:

> lo cual yo escrebí con tanta *certinidad* que aunque en ella [en la relación] se lean algunas cosas muy nuevas y para algunos muy di-

> fíciles de creer, pueden si duda creerlo, y creer por muy cierto que antes en todo soy *más corto* que *largo*... (p. 63).

*"Porque yo lo raía muy mucho y comía de aquellas raeduras..."*

Con la desnudez, la temporalidad se altera. De un calendario astronómico o de uno típicamente cristiano definido por las festividades religiosas, se pasa a un calendario cíclico, reiterativo, regido por el vagabundeo, característico de una economía nómada basada en la recolección, donde ni siquiera las estaciones cuentan: la temporalidad se determina por el tipo de alimentación accesible, "el tiempo de las tunas" o "el tiempo de los higos". Álvar Núñez mimetiza los dramáticos procesos de su aculturación y los transmite a la escritura aunque al mismo tiempo sea capaz de distanciarse y percibir con perfección su significado:

> Toda esta gente no conocía los tiempos por el sol, ni la luna, ni tienen cuenta del mes y año, y más entienden y saben las diferencias de los tiempos cuando las frutas vienen a madurar... (p. 127).[9]

La precariedad llega a extremos asombrosos. Se tienen tunas o higos, a veces pescado y rara vez carne de venado o de búfalo, muy a menudo sabandijas, aun estiércol de venado y "si en aquella tierra hubiese piedras las comerían", concluye. Las carencias obligan a los indígenas a aprovechar al máximo cada recurso y a adaptarlo a las condiciones de vagabundeo que los gobiernan. Se ha producido lo que algunos críticos llaman el "silencio historiográfico", el que coloca al náufrago "fuera de los ámbitos de comunicación e información europeos".[10]

En el texto esa situación coincide con el proceso de pulverización de los alimentos, con la operación que los despoja de su forma y los reduce a su mínima expresión:

> Guardan las espinas de pescado que comen y de las culebras y otras cosas, para molerlo después todo e comer el polvo de ello. (p. 116) ...(y más adelante , refiriéndose a un fruto que él llama algarrobas, aclara) ..y las pepitas de ellas tornan a echar sobre un cuero y las cáscaras. *Y el que lo ha molido* las coge y las torna a echar en aquella espuerta... y las pepitas y cáscaras tornan a poner en el cuero, y desta manera hacen tres o cuatro veces cada *moledura*... (p. 137).

No existe una mayor desnudez de la materia que la de la pulverización ("Y comen polvos de bledo, de paja y de pescado..." p. 55); entre sus ventajas está su ligereza y su portabilidad: es la única alimentación accesible durante las largas caminatas. Los alimentos molidos –mezclados en grandes hoyos con agua y tierra– dan cuenta de ciertas ceremonias tribales; sintetizadas así, forman parte de un discurso etnológico, pero, asimiladas durante la peregrinación, articulan esa vagabunda economía que se translada a la escritura, transformada, amasada, rescatada como economía textual. La comida pulverizada permite advertir el grado de disolución al que los náufragos han llegado. Pero hay más, igualándose consigo mismo, mimetizado a su nombre, Cabeza de Vaca nos explica una de sus actividades favoritas, la que lo clasifica dentro de los rumiantes, es decir lo animaliza y lo equipara a esos seres mansos, domésticos, útiles, pero también patéticos: los rumiantes. Se ha alcanzado el máximo nivel de disolución humana, según los criterios de lo civilizado:

> Otras veces me mandaban *roer* cueros y ablandarlos. Y la mayor prosperidad en que yo me vi allí era el día en que me daban a *raer* alguno, porque yo lo *raía* muy mucho y comía de aquellas *rae-duras* y aquello me bastaba para dos o tres días (p. 129).

En las etapas iniciales del naufragio –la primera mitad del texto– la escritura misma se pulveriza, se rae, se rumia y configura una modalidad especial de producción textual, compuesta por innumerables superposiciones de historicidad: la del palimpsesto: "a manera de serpientes mudábamos los cueros dos veces en el año"(p. 129). Se inscriben para empezar en el cuerpo del náufrago, allí se archivan capas sobrepuestas de memoria –como tatuajes– y se consigna una experiencia aprehensible con dificultad por la escritura. *La acción de roer* se visualiza como un proceso en el que el narrador prepara, como por obra de magia –la chamanización–, y, por gracia de Dios –el providencialismo–, una nueva etapa de su vida, el principio de su redención.

> "...porque aunque la esperanza de salir de entre ellos tuve siempre fue muy poca, el cuidado y diligencia siempre fue muy grande de tener particular *memoria* de todo, para que si en algún tiempo Dios Nuestro Señor quisiese traerme *adonde agora estoy,* pudiese *dar testigo* de mi voluntad y servir a Vuestra Majestad..." (p. 62).

Las actividades ejercidas mientras se está *entre ellos*, es decir, la continua acción de *roer*, *raer*, *rumiar*, se asocian a la memoria, una de las formas de reintegrarse a la historia, a lo civilizado, *–adonde agora estoy–*, a la relación que escribirá como servicio. Raer un cuero significa literalmente, en ese momento de su vida, alimentarse; también, y por extensión metafórica, el proceso mental que permite procesar el cuero y transformarlo en pergamino. Sin memoria y sin papel es imposible pasar a la escritura. Contaminado por otra referencialidad –el naufragio, la desnudez, la esclavitud–, la convivencia forzada con culturas "bárbaras" que al principio lo degrada, le sirve después para recuperar su "dignidad" humana cuando es investido de una alta jerarquía *entre ellos*, la de chamán, y puede preparar internamente (en el acto de rumiar-recordar) su reincorporación a "lo civilizado" –la escritura–, a pesar de las profundas transformaciones a las que lo ha expuesto la experiencia.[11]

*"Nos redimió y compró con su preciosísima sangre...."*

Uno de los procedimientos esenciales para descubrir, colonizar y poblar (léase conquistar) fue inaugurado por Colón en el Caribe. Se trata del rescate, es decir, el intercambio de baratijas por objetos preciosos, mediante el cual se adquiere el oro, las materias primas y la fuerza de trabajo indígena. Cobarruvias lo definía así en 1611: "Rescate, *redemptio, is.* O se pudo decir de rescatar o regatear, porque se regatea el precio". "Regatear, continúa, es procurar abajar el precio de la cosa que compra..." Pero, es bueno subrayarlo, rescate también significa, según el mismo autor, redimir: la palabra latina *redimere* significa eso en español y, por antonomasia, "Cristo Nuestro Señor es verdadero y solo Redentor, que nos redimió y *compró* con su preciosísima sangre". El rescate es una operación que en su forma más simple incluye un trueque y en estadios avanzados se convierte en una transacción comercial de compra y venta. El rescate ofrece un amplio margen de polarización: puede manejarse en el ámbito de lo cotidiano –lo profano o secular– y en el de lo religioso –lo ritual y lo sagrado– y, en términos más prácticos pero extraterrenales, la salvación del alma –lo escatológico–.

En la primera parte de los *Naufragios* se consigna la paulatina desaparición de los códigos y objetos que conectan a los sobrevivientes con el mundo "civilizado". Gracias a una especie de *strip tease* narrativo advertimos que cuando los expedicionarios llegan a la Florida, todo tiene un signo negativo: 1. Carecen de autoridad porque su capitán es un inepto, un asno, como lo llama despectivo Oviedo; 2. no tienen piloto; 3. no conocen la tierra a la que llegan; 4. los caballos trastruecan su función: sirven de alimento y, más tarde, se convierten en recipientes para guardar, imperfectamente, el agua dulce; 5. no disponen de bastimentos aunque han pasado en Cuba más de siete meses para conseguirlos y, por fin, 6. no tienen lengua. Pero cosa sorprendente, *aún* tienen rescates: En el capítulo XI, ya derrotados y desvalidos, se enfrentan a un grupo de indígenas:

> Entre nosotros excusado era pensar que habría quien se defendiese porque difícilmente se hallaron seis que del suelo se pudiesen levantar. El veedor y yo salimos a ellos y llamámosles, y ellos se llegaron a nosotros y lo mejor que pudimos procuramos de asegurarlos y asegurarnos, *y dímosles cuentas y cascabeles*, y cada uno dellos me dio una flecha, que *es señal de amistad*, y por señas nos dijeron que a la mañana volverían y nos traerían de comer, porque entonces no lo tenían (p. 97).

Es evidente que una de las condiciones de la sobrevivencia se vincula con esta ínfima prenda –cascabeles, espejos, cuentas– conocida como rescate.[12] Sin ella es segura la muerte: Álvar Núñez emerge de la condición de esclavo en que se le ha mantenido durante casi seis años para volverse vendedor ambulante y confeccionar él mismo sus rescates, aunque en intercambio ya no reciba objetos preciosos sino alimentos. En Álvar Núñez se sigue manejando esa relación de intercambio pero sin su ominosa alevosía y ventaja, tan característica en Colón y otros conquistadores; gracias a ello se altera considerablemente su concepto del "otro" y su relación con él mismo. Ya no es sólo *el portador* de los rescates, *es el que los fabrica*; tiene un doble oficio, el de artesano y el de comerciante y empieza a suplir carencias específicas de los "bárbaros", mediante su industria: ya antes ha habido una muestra de su habilidad para improvisarse como artesanos en un momento crucial del relato, cuando, habiendo perdido sus naves por la incapacidad del Gobernador Narváez, los expedicionarios se ven obligados a construir unos navíos y a utilizar como Crusoe todos los artefactos "civilizados" que tienen a la mano, incluyendo caballos, vestidos, bastimentos y productos de la región.[13] Yo me refiero aquí a un momento posterior: cuando nuestro náufrago se ve obligado a aguzar su ingenio y a construir a partir de materiales muy humildes –del periodo neolítico– sus rescates. Adquiere por ellos otra dimensión humana, distinta de la que tienen los habitantes del espacio histórico (España) donde habitan(amos) "nosotros", los cristianos, representada por el *donde agora estoy*; la de los otros, "ellos", "esos indios", y la de aquel que habita en medio, "entre ellos", el europeo transformado, trastornado por América.

> Ésta es la vida que *allí* tuvimos, y aquel poco sustentamiento lo ganábamos con los *rescates* que por *nuestras manos* hicimos"

(p. 117)... Contrataba con *esos indios* haciéndoles peines, y con arcos e con flechas e con redes... Hacíamos esteras, que son cosas de que *ellos* tienen mucha necesidad e, *aunque lo saben hacer*, no quieren ocuparse en nada, por buscar entretanto que comer... (p. 129)

En el Proemio de su obra, Álvar Núñez defiende su relación y la jerarquiza dentro de la categoría de servicio. Ser soldado y extender los dominios de la Cristiandad es una de las principales formas de adquirir honra. El destino, sus pecados y la ineficacia de su jefe hacen imposible esa carrera. Álvar Núñez se *rescata*, ofreciendo a cambio del fracaso su relato, efectuando de esta manera un *trueque*, a través del lento proceso de rumiar en la memoria una escritura y hacerla antes pasar por el cuerpo que está desvestido, o mejor, *en cueros*:

...bien pensé que mis obras y servicios fueran tan claros y manifiestos como fueron los de mis antepasados, y que *no tuviera yo necesidad de hablar para ser contado*... Más como ni mi consejo, ni mi diligencia aprovecharon para que aquello a que éramos idos fuese ganado conforme al servicio de Vuestra Majestad... no me quedó más lugar para hacer más *servicio* deste, que es *traer* a Vuestra Majestad *relación* de lo que en diez años que por muchas y extrañas tierras que anduve perdido y *en cueros,* pudiese saber y ver.. que dello en alguna manera Vuestra Majestad será servido... (p. 62)

La escritura, condición absoluta – para los españoles–[14] de lo civilizado, se prefigura, como ya lo sugería atrás, en la memoria, construida durante el reiterativo proceso de rumiar o cavilar; se materializa mediante un proceso de alimentación que simbólicamente podría corresponder a la maceración del cuero, operación necesaria y previa a la facturación del papel llamado pergamino, en el que podrían inscribirse todos los relatos, aquellos recibidos "de mano en mano", y que a manera de núcleos centrales de su relación le permitirán reconstruir –escribir– su historia. Para ello ha sido necesario contar con una serie progresiva de rescates, desde los más simples, hasta los más sofisticados:[15] empieza con las cuentas y cascabeles traídos desde Europa para trocarlos por oro y luego por alimentos; sigue, transformación definitiva, con los objetos artesanales que él mismo fabrica y, por fin, ofrece luego su propio cuerpo, convertido en palimpsesto, a manera de servicio y sacrificio. Ya en España, Álvar Núñez escribe su relación: él hubiese preferido callar, quedar en el silencio, actuar, para que los hechos hablasen por él; la estructura tradicional de servicio lo determinaba así. Las circunstancias lo obligan a escribir, a rescatar su fama gracias a la escritura e integrarse así en un código distinto del de sus antepasados, Adelantados de la Reconquista. Álvar Núñez aumenta la enorme lista de conquistadores que utilizan la crónica para afirmar sus derechos. Hay que reiterarlo,la escritura es otra forma de rescate: la mejor prueba es que Álvar Núñez obtuvo *–rescató–* gracias a su relación el cargo de Adelantado del Río de la Plata.

*"desnudos como nacimos..."*

Bartolomé de las Casas avisa, lapidario, que el Adelantado Juan Ponce de León "perdió el cuerpo" cuando fracasó su expedición a las "islas" de Florida y de Bímini: es evidente que la muerte es una de las formas de perder el cuerpo; con todo, resulta paradójico que éste fuera el final que le estuviera reservado a quien, para apoyar su aventura, difundió la idea de que en esa zona se encontraría, además de oro, la Fuente de la Eterna Juventud. Sus aguas milagrosas devolverían la lozanía y el vigor a quienes se bañaran en ellas; su corriente conduciría –míticamente– al Jardín del Edén, y también al Río Jordán, donde Cristo recibió el bautismo, justo a la edad más perfecta del hombre, la de su Pasión, y también a la edad que tenían los indios descritos por Colón cuando pisó por primera vez tierra americana: "todos los que yo ví eran mancebos, que ninguno vide de edad de más de treinta años".[16]

Ponce de León bautizó las nuevas tierras de acuerdo con la fecha de su descubrimiento, la Pascua Florida; también por su lujuriante verdor. La Florida que Cabeza de Vaca describe es "maravillosa de ver", y su vegetación y su fauna tan abundantes y parecidas a las europeas que, diríase, es más una descripción fantástica y no una descripción realista.[17] El naufragio contradice en apariencia ese mensaje: la tierra se comporta con los españoles como si fuese árida, inhóspita, el reverso de la medalla, una tierra de la que se ha desterrado toda posibilidad de placer. Y sin embargo, allá en el fondo, silenciados aunque encubiertos por ciertas acciones narrativas, se encuentra una referencialidad casi irreconocible, la de mítica fuente, el sagrado río y de trasmano el erotismo soslayado, del cual una de sus manifestaciones puede ser la hipérbole, como la que se puede advertir en este fragmento de su relación, antes de que se produzca el naufragio definitivo, aunque también cabe la posibilidad que su relato sea totalmente apegado a la realidad, y el paisaje, grandioso, estaba inexplotado porque sus pobladores no eran "gente de razón":

> ...por toda ella hay muy grandes árboles y montes claros, donde hay nogales y laureles y otros que se llaman liquidámbares, cedros, sabinos y encinas y pinos y robles, palmitos bajos de la manera de los de Castilla... Por toda ella hay muchas lagunas grandes y pequeñas, algunas muy trabajosas de pasar, parte por la mucha hondura, parte por tantos árboles como por ellas están caídos.Los animales que en ellas vimos son venados de tres maneras, conejos y liebres, osos y leones y otras salvajinas...Por allí la tierra es muy fría; tiene muy buenos pastos para ganados; hay aves de muchas maneras; ánsares en gran cantidad, patos, ánades, patos reales, dorales y garzotas y garzas, perdices; vimos muchos halcones, neblís, gavilanes, esmerejones y otras muchas aves (p. 81).

El ciclo de mitos se desarrolla en dos registros paralelos, en un contraste trágico con el texto recién citado: tanto la desnudez –"tan diferente hábito del acostumbrado"–, así como la redención, se inician en el agua. Un tumbo de mar tira a los hombres de su barca y ahoga a varios:

> Los que quedamos escapados, *desnudos como nacimos* y perdido todo lo que traíamos, y aunque todo valía poco para entonces, mucho...(p. 98).

La relatividad explica muchas cosas. El cuerpo salvado del naufragio parte hacia dos direcciones complementarias: *a*) hacia la infancia – *desnudos como nacimos*– y *b*) hacia lo incivilizado. "Toda la gente de esta tierra anda desnuda." El nacimiento está ligado con el agua, las aguas placentarias, y en cierta medida con las aguas primordiales. Nacer es iniciar el camino hacia lo civilizado, mediante la educación, llamada por Calderón, más tarde, "segunda naturaleza". Aquí, ella misma se encarga de despojar a los hombres, los desviste y los convierte por eso en salvajes primitivos, vestidos como "salvajes" o como nuestros primeros padres. Se camina hacia atrás, al revés,[18] se ha perdido toda forma de locomoción –caballos, barcas– que no sean los propios pies o el cuerpo cuando se tienen que cruzar los múltiples ancones –pequeñas ensenadas– mencionados por Álvar Nuñez: los indios lo hacen en canoa y los españoles, cuando saben, a nado. El naufragio –golpe de agua, vuelco de las barcas, desnudez– inicia la suspensión de las relaciones jerárquicas propias de lo civilizado. El estado de naufragio, hay que reiterarlo, es una categoría de la civilización: se requiere de embarcaciones y vestimenta, la mayor parte de las veces, además de una organización social sofisticada, para poder naufragar. Álvar Núñez retorna hacia lo civilizado entre otras cosas porque sabe *nadar*, su cuerpo le sirve de barca. La inmersión en ancones y ríos es prueba de su capacidad de sobrevivencia, de su conciencia práctica y sagaz de la realidad, de su habilidad; es también el inicio de su redención, su bautismo: El estado de naufragio puede ser también otra forma de renacimiento, el camino que los elegidos por Dios deben recorrer hacia la redención, otras de las formas del rescate.

*"Todavía saqué señal..."*

Nadar es entrar en el agua, lavar el cuerpo. Sumergirse en una fuente o en un río sagrados es también una inmersión ritual, una marca, el señalamiento; y la Florida era en la imaginación exarcebada de los conquistadores la portentosa isla de Bímini "fuente de vida, morada de bienaventurados, verdadero paraíso donde discurre otra Edad de Oro".[19] Ya desde antes de la expedición de Narváez se ha iniciado un proceso de desmitificación provocado por los sucesivos fracasos y esta expedición en concreto prueba que en lugar de estar en el Paraíso los náufragos viven en el Infierno (concreto) y en el límite de la sobrevivencia. Hay indicios, sin embargo de que Álvar Núñez, como la mayoría de los cronistas, hace una mezcla extraña entre realidad y fantasía, entre leyenda y superstición religiosa. Estebanico el negro, uno de los supérstites de la aventura de Cabeza de Vaca, muere en una expedición posterior, la de Fray Marcos de Niza, organizada en busca de las siete ciudades orientales, fundadas supuestamente en el Medioevo por unos obispos míticos, aventura que termina en el más estrepitoso fracaso.

En el texto abundan los signos y es posible afirmar que Álvar Núñez se siente predestinado: como Colón, Las Casas, Cortés, "sabe" que ha sido elegido para cumplir hazañas prodigiosas. Cuando se ha vuelto chamán –o *físico*, como él mismo se designa–, las circunstancias vuelven a situarlo en ese límite extremo en donde suelen juntarse realidad y fantasía. La Fuente de la Juventud y el Río Jordán remiten a la idea de la inmortalidad y a la Pasión de Cristo, quien se bautiza en el Jordán para lavar el pecado original y resucita de entre los muertos después de haber vivido su Pasión. Álvar Núñez sigue los mismos pasos y si atendemos a los signos dentro del relato podemos confirmarlo. En la Primera parte pareciera que su degradación será total; a partir del momento en que decide huir, se inicia su salvación: como el propio Cristo se sumerge primero en el agua; de los varios ríos que menciona Cabeza de Vaca sólo nombra uno con el sintomático nombre de Espíritu Santo; inicia luego, en soledad, su "peregrinación" por el desierto, y aunque en principio este periodo pareciera idéntico al de su época nómada, anárquica y caótica, es ya el signo de una etapa organizada como peregrinación. Los lugares sucesivos que se registran en la textualidad remiten a un tiempo de pruebas que se convierte después en un tiempo de glorificación. Al consagrarlo como chamán dentro de una jerarquía superior a la de los otros sobrevivientes –sus compañeros Dorantes y Castillo–, los indígenas lo señalan, lo insertan en una categoría sagrada (si tomamos al pie de la letra el absoluto protagonismo que él mismo se otorga en la escritura). El periodo de prueba es simultáneamente tiempo de combates solitarios y el principio de un camino simbólico, iniciático, de purificación, anterior al tiempo de la glorificación, de los "milagros" públicos;[20] es entonces cuando emprende la ruta de la salvación, o su "camino de perfección" y produce una temporalidad y un espacio cíclicos, el lugar inexistente, la atopia. Providencialmente, por ello, se extravía: en la soledad recibe en el cuerpo otra señal, la del fuego, elemento tan constante en el texto como el agua; la nueva marca lo inserta dentro de una cadena de señales míticas relacionadas con Moisés y Prometeo:

> ...esa noche me perdí, y plugo a Dios que hallé un árbol ardiendo, y al fuego de él pasé aquel frío aquella noche y a la mañana yo me cargué de leña y tomé dos tizones.. y anduve de esta manera cinco días siempre con mi lumbre y mi carga de leña..porque para el frío yo no tenía otro remedio, por andar desnudo como nací... y en la tierra hacía un hoyo y en él echaba mucha leña... *y en derredor de aquel hoyo hacía cuatro fuegos en cruz*, y yo tenía cargo y cuidado de rehacer el fuego de rato en rato... y de esta manera me amparaba del frío de las noches; *y una de ellas el fuego cayó en la paja con que yo me estaba cubierto*, y estando yo durmiendo en el hoyo,

comenzó a arder muy recio, y por mucha priesa que yo me di en salir, *todavia saqué señal* en los cabellos del peligro en que había estado"(p. 123).

Álvar Núñez se "sabe" ungido, *ha sacado señal*: está listo para recibir las otras señales que la Providencia le depara y compararse con Cristo, cuyo cuerpo fue marcado por la Pasión; cabe reiterar aquí el hecho de que las marcas que señalarán su cuerpo –imitando el cuerpo del redentor– le llegarán de fuera, desde arriba, del exterior, como las Voces a los Profetas. Se diferencia así radicalmente de los santos mártires del siglo XVII, cuya imitación de Cristo es voluntaria, autoinfligida. El cuerpo de Álvar Núñez se ve expuesto además y por razones naturales a los tormentos de una laceración perpetua: las picaduras de los mosquitos marcan su cuerpo como la lepra; muda de piel como las serpientes; come raíces que lo hinchan; se le hacen empeines; está en los huesos; la piel le sangra: "...tenía los dedos tan gastados que una paja que me tocase, me hacía sangrar de ellos" (p. 107), las llagas son cotidianas y forman con las otras marcas corporales el palimpsesto literal donde se va inscribiendo la redención –lo milagroso–: el proceso mental de almacenar los recuerdos que lo conducirán a la "verdadera" escritura, la de la historia, aunque en cierta forma haya transitado por ese otro discurso limítrofe, situado al final de la historia, el discurso edificante.

Ya he dicho cómo por toda esa tierra anduvimos desnudos, y cómo no estábamos acostumbrados a ello, a manera de serpientes mudábamos los cueros dos veces en el año, y con el sol y el aire hacíansenos en los pechos y en las espaldas unos empeines muy grandes, de que recibíamos muy gran pena... y la tierra es tan áspera y tan cerrada, que muchas veces hacíamos leña en montes, que , cuando la acabábamos de sacar, *nos corría por muchas parte sangre*, e las espinas y matas con que topábamos... A las veces me aconteció hacer leña donde después de haberme costado mucha sangre no la podía sacar ni a cuestas, ni arrastrado. No tenía, cuando estos trabajos me vía, otro remedio ni consuelo sino *pensar en la pasión de nuestro redentor Jesucristo y en la sangre que por mí derramó*, e considerar cuánto más sería el tormento que de las espinas padeció, que no aquel que yo entonces sufría (p. 129).

El texto proporciona abundantes datos para verificar las comparaciones esbozadas: las espinas, las cruces, las llagas, los malos tratos, la sangre, el sufrimiento corporal y su paralelismo con los sufrimientos del Redentor: la pasión como camino de la redención –la imitación de Cristo–, las marcas corporales como signos de una hagiografía. Ya está listo para ser chamán, la purificación ha terminado. Alterna la mención de datos concretos –realismo que puede leerse como un discurso etnólogico– y la excesiva frecuentación de los milagros, la conciencia de su santidad, el arribo de la sacralización. La predestinación lo hace elegible para la santificación y le otorga poderes sobrenaturales: como Cristo tiene su Lázaro y resucita a un muerto. Los milagros acrecientan su fama y lo insertan en la tradición parabólica, evangélica. Posee al mismo tiempo una gran habilidad –concreta, verificable– como cirujano: utiliza un cuchillo y logra extraer una flecha del cuerpo de un moribundo y salvarlo. Los extremos se tocan: el exacerbado realismo y la predestinación y el milagro. Las curaciones tienden a ser, como las que efectúan los chamanes, milagrosas, y denotan una mixtura curiosa de costumbres indígenas y de prácticas religiosas cristianas: utiliza las calabazas horadadas de los indígenas "que tienen virtud y vienen del cielo"[21] para anunciarse como los chamanes auténticos; cura con el aliento –¿un soplo divino?– pero también sana invocando al Señor y santiguando a los enfermos.

Un intrincado proceso interior, producto de la experiencia, ha conducido a Álvar Núñez a este lugar sobresaliente. Ha recorrido un largo camino iniciático que transforma su posición, lo reclasifica –lo jerarquiza– y lo reviste de poder. De esta forma ha cancelado su condición de esclavo sometido de la primera parte de la narración.

*"En hábito de mujer unas veces, y otras como hombre... "*

Me he referido varias veces en el transcurso de esta exposición a la desnudez y a su inmediata connotación erótica, sobre todo si tiene asiento en el mito: el de Paraíso o el de la Fuente de la Eterna Juventud. Ese contenido se soslaya en los *Naufragios* por obvias razones, quizá la más elemental sea el estado de postración y aniquilamiento producido por el hambre y la esclavitud, condiciones por las que pasaron los supérstites, antes de salvarse. Sin embargo, Cabeza de Vaca observó las costumbres sexuales de los indios y su manera de reportarlas entraña ya un esbozo de erotismo. Cuando la situación de Álvar Núñez varía en las etapas finales de su odisea, esas etapas en que por obra y magia de un providencialismo –manejado de manera muy especial– empezó a convertirse en milagrero –o sea, en físico o chamán–, es muy probable que también su vida sexual haya cambiado y es posible asegurar que el texto proporciona varios indicios que pueden darnos cuenta de un discurso erótico hábilmente soslayado, para evitar que se contravenga lo concebido como honesto o decente, según los códigos europeos.

El enfrentamiento de lo vestido a lo desnudo evoca siempre asociaciones sexuales. Esta verificación está implícita en una descripción que hace Álvar Núñez, casi al final de su relación, de ciertas mujeres pertenecientes a tribus más civilizadas, ya sedentarias, del norte de México:

> Entre éstos vimos las mujeres más honestamente tratadas que a ninguna parte de Indias que hubiésemos visto. Traen unas camisas de algodón que llegan hasta las rodillas, e unas medias mangas encima de ellas, de unas faldillas de cuero de venado sin pelo, que tocan en el suelo...(p. 153)

Ser tratado honestamente implicaría ser tratado con respeto, con decencia. Es obvio que dentro de los códigos de la civilización (o policía), tal y como la entienden los conquistadores, un cuerpo desnudo es un cuerpo expuesto, un cuerpo indecente, sobre todo si se trata de un cuerpo femenino: cabe añadir que un europeo de esa época sólo puede respetar a una mujer cuyo cuerpo esté vestido honestamente. Al principio, la mayoría de las mujeres indígenas del texto se describen casi siempre de manera genérica, o simplemente se omite mencionarlas; forman parte de un grupo tribal, entre cuyas costumbres la desnudez es habitual y el tipo de descripción entra dentro de categorías que hoy podríamos denominar como pre-etnológicas.[22] Por otro lado, ser tratado honestamente significaría ocupar en la jerarquía tribal una categoría respetada. Y la mujer es reprimida y tratada invariablemente como esclava,[23] estado del que participan los náufragos antes de iniciar el camino de su redención y, aunque después ascienden y ocupan un lugar privilegiado, siempre se ubican en posiciones intermedias, ambiguas, entre los hombres y las mujeres, posición que continuamente se subraya en la propia organización textual.

Una visión erotizada del cuerpo se inserta dentro de categorías estéticas, implícitas cuando el autor describe, con gran admiración, el aspecto físico de las tribus encontradas entre la Florida y la región que en el texto se llama Aute: "todos son flecheros , y como son tan crecidos de cuerpo y andan desnudos, desde lejos parecen gigantes. Es gente a maravilla bien dispuesta, muy enjutos y de muy grandes fuerzas y ligereza..." (p. 84).

Esta admiración, este asombro implican, como ya dije, una apreciación estética, casi un primer signo disimulado de erotismo, parecido al suscitado por los cuerpos desnudos de las estatuas clásicas y las de nuestros primeros padres, según fueron representados por la iconografía renacentista. Representa un ideal de cuerpo humano, el del guerrero acostumbrado a las armas, ágil, diestro,veloz. Incluye de igual manera una verificación humillante del propio desmedro, cada vez más subrayado, a medida que el deterioro de los españoles se acrecienta en su desastroso recorrido por esas comarcas: "y desde allí a media hora acudieron otros cien indios flecheros que, agora ellos fuesen grandes, o no, nuestro miedo les hacía parecer gigantes...(p. 97)". Cuando la aculturación y la aclimatación se producen al cabo de diez años de estancia en ese contexto y están expuestos a las mismas intemperies y duras pruebas que sufren los habitantes de la región, los cuerpos de los españoles se transforman, adquieren el mismo aspecto que el de esos indios, al principio tan admirados, imágenes escultóricas o héroes mitificados:

Acompañábannos siempre hasta dejarnos entregados a otros, y entre todas estas gentes se tenía por muy cierto que veníamos del cielo.[24]

Entre tanto que con éstos anduvimos, caminamos todo el día sin comer hasta la noche, y comíamos tan poco que ellos se espantaban de verlo. Nunca nos sintieron cansancio, y, a la verdad, nosotros estábamos tan hechos al trabajo que tampoco lo sentíamos... (p. 154).

Se ha producido un vuelco en la textualidad: el propio narrador se desplaza y se mira a sí mismo con la misma mirada admirativa con que al principio contemplaba a los "otros". Ya es diferente ante sí mismo, en su propia memoria, cuando la traslada a la escritura; y ese desplazamiento ocurre gracias a la serie de percances y transformaciones sucesivas que han permitido redimirlo a él y a sus compañeros. El desplazamiento es en realidad una revolución: el héroe se ha salvado, deja de pertenecer a los indios ("los indios que a mí me tenían") para pertenecerse a sí mismo ("tenía libertad para ir donde quería") y será el que reciba los tributos, a cambio, primero, de su doble condición de artesano y de buhonero y, luego, de chamán. Insisto, esta revolución se hace evidente también por la forma como Cabeza de Vaca organiza el relato, mediante una rotación completa gracias a la cual lo que aparecía como inaccesible se convierte en algo completamente natural.

La distribución del discurso podría parecer confusa; hay momentos en que se pasa sin transición de un acontecimiento a otro; o de una descripción etnográfica a un recuento de lo que en palabras de la época se llamaría "las particulares relaciones", de las que luego me ocuparé. Cabe reiterar que en estos recovecos o dobleces se inscriben hábilmente episodios significativos, estratégicos, si uno quiere entender ciertas claves del texto. Uno de ellos sirve de preámbulo a la liberación del héroe y se registra en dos momentos cruciales de su vida. *a*) Cuando Cabeza de Vaca se ve obligado por la conducta errática de Pánfilo de

Narváez a convertirse en jefe de la ya muy disminuida armada, hace explícito su mandato,[25] ordenándole a su subordinado, Lope de Oviedo, que vaya a descubrir "la tierra en que estábamos y procurase haber alguna noticia de ella" (p. 96). *b*) Más tarde, ya esclavizados y desnudos ambos, le achaca al mismo personaje su tardanza en liberarse..." la razón por la que tanto me detuve fue por llevar consigo un cristiano que estaba en la isla llamado Lope de Oviedo... (p. 108)", que no sabía nadar. Éste, después de hacerle perder un año, pasado en cautiverio, se atemoriza ante ciertos relatos que informan, ya sea de la muerte de algunos sobrevivientes a manos de los indios, cuando intentaban escapar, o de ciertos presagios nefastos, deducidos de sueños femeninos, que también producen la muerte de varios españoles. Atemorizado, decide regresar, a medio camino de su salvación: "Lope de Oviedo, mi compañero... dijo que quería volverse con unas mujeres de aquellos indios con quien habíamos pasado el ancón que quedaba algo atrás" (p. 110). Estas palabras resuenan con ambigüedad: implican una calificación, un suplemento tácito de jerarquización. La conducta de Lope de Oviedo es decididamente femenina, contraría todos los códigos de hidalguía y de honra proverbiales entre los españoles.

Otro episodio fundamental en este contexto tiene connotaciones fantásticas, y es protagonizado por un personaje al que Cabeza de Vaca designa como Mala Cosa;[26] podría formar parte también de ese discurso erótico subrepticio que trato de bosquejar aquí. Se inscribe en la textualidad justo cuando la fama de los europeos como chamanes empieza a cimentarse y cuando su actividad los libera parcialmente de esa esclavitud que los integraba a códigos destinados a definir la condición de la mujer; momento fundamental del texto, momento de reflexión, de recapitulación:

> Éstos [los indios Avavares] y los de más atrás nos contaron una cosa muy extraña, y por la cuenta que nos figuraron parecía que había quince o dieciséis años que había acontecido, que decían que por aquella tierra anduvo un hombre que ellos llaman mala cosa, y que era pequeño de cuerpo y que tenía barbas, aunque nunca claramente le pudieron ver el rostro, y que cuando venía a la casa donde estaban, se les levantaban los cabellos y temblaban y luego aparecía a la puerta de la casa un tizón ardiendo... y que muchas veces cuando bailaban aparecía entre ellos, en hábito de mujer unas veces, y otras como hombre... Nosotros les dijimos que aquel era un malo, y de la mejor manera que pudimos les dábamos a entender que, ni ellos creyesen en Dios Nuestro Señor e fuesen cristianos como nosotros, no tendrían miedo de aquel...(pp. 126-127).

Si se toma en cuenta que el personaje es barbado y pequeño, bien podría tratarse de una imagen proyectada que los propios españoles tenían de sí mismos, y, simultáneamente, de un esbozo de lo que para los indígenas significaban en imagen esos curanderos. Hay varios indicios en el texto que me hacen pensarlo así. Los comento y aclaro:

*a*) Mala Cosa es un compuesto híbrido (hermafrodita), un engendro diabólico, explica Cabeza de Vaca, un objeto de brujería al que preside un tizón ardiente, que recuerda extrañamente ese momento "iniciático" en el que el protagonista separado de los españoles y de su comunidad "saca señal" por el fuego, episodio en donde algunos críticos vinculan a Núñez con Moisés o Prometeo. Asociados varios episodios y reunidas algunas de las imágenes delineadas por el narrador, podría aventurarse que por el retrato que de refilón el narrador nos ofrece de sí mismos, contrastados con esos indios a quienes "su miedo" hacía aparecer gigantes, los españoles "son pequeños de cuerpo", ni más ni menos que Mala Cosa, quien por otra parte es barbado como aquéllos. Esta imagen podría desdoblarse y participar de dos visiones simultáneas, la que los europeos transculturados tienen de su propia figura y la que los indios, a su vez, tienen de ellos. Recuérdese la extrañeza que causa en los indígenas la proliferación de cabellos en la cara de los supervivientes y los juegos con que los torturan (apalearlos, abofetearlos y pelarles las barbas y dejarlos por ello desnudos de raíz, p. 114). Quizá se trate también de una alucinación, si, como otros chamanes y la mayoría de los nativos, probó esas sustancias alucinógenas cuyo uso atribuye solamente a los indios:

> ...en toda la tierra se emborrachan con un humo y dan cuanto tienen por él. Beben también otra cosa que sacan de las hojas de los árboles como de encina, y tuéstanla en unos botes al fuego, y después que la tienen tostada hinchan el bote de agua, y así lo tienen sobre el fuego, e cuando ha hervido dos veces, echánle en una vasija y están enfriándola con media calabaza, y en cuanto está con mucha espuma bébenla tan caliente cuanto pueden sufrir, y desde que la sacan del bote hasta que la beben están dando voces diciendo que quién quiere beber...(p. 136).

Por añadidura, y para completar de analizar la aparición de Mala Cosa, Cabeza de Vaca continúa describiendo la ceremonia que se reseña en el pasaje recién citado y advierte que las mujeres debían permanecer quietas al oír las voces de los hombres: cualquier movimiento en falso provocaba que fueran "apaleadas o deshonradas":

La razón de la costumbre dan ellos y dicen. Que, si cuando quieren beber esa agua las mujeres se mueven de donde les toma la voz, que en aquella agua se les mete en el cuerpo una cosa mala y que dende a poco les hace morir... (p. 136).

*b*) Ya sea alucinación, alegoría, leyenda o reminiscencia de un ritual parecido a los celebrados entre los aztecas, o bien las tres cosas juntas,[27] Mala Cosa está íntimamente relacionado con estructuras tribales definidas por los indios, asimiladas por Cabeza de Vaca dentro de las que los españoles ocupan funciones intermedias, ambiguas, como lo recalcaba hace un momento; ambiguas porque durante un largo periodo de su vida entre los nativos de Aridoamérica, Cabeza de Vaca y sus compañeros cumplieron una función semejante a las que cumplían las mujeres: estaban identificados con ellas, por su condición esclava, pues, como subraya el narrador cuando se refiere a ellas, "las mujeres son para mucho trabajo".

De la humillante cercanía y a la vez la gran distancia que tiene con varias de las imágenes de la servidumbre y de su capacidad para adoptar la figura masculina o la femenina, según las circunstancias, la figura de Mala Cosa aparece como un mecanismo que permite distanciar la propia imagen despreciada y al mismo tiempo expresar metáforicamente el cambio de condición; funciona, si se la toma de este modo, a manera de catarsis. Esa condición anterior de bestias de carga y de labor específicamente femenina es reiterada por el protagonista cuando, asociándola a su propio esfuerzo y definiéndola en términos casi idénticos, Cabeza de Vaca afirma: "Por el mucho trabajo y mal tratamiento que me hacían, determiné de huir de ellos..." (p. 107). Muy a menudo Álvar Núñez hace participar en el mismo contexto nociones muy dispares que pueden manejarse en mancuerna, a pesar de su desemejanza; por ello, después de describir el tipo de labores que deben realizar las mujeres, relata las suyas propias, en exacta coincidencia con las de ellas o las de los viejos, como lo muestra bien este otro pasaje:

> Las mujeres son muy trabajadas y para mucho, porque de veinticuatro horas que hay entre noche y día no tienen sino seis horas de descanso, y todo lo más de la noche pasan en atizar sus hornos para secar aquellas raíces que comen. Y desque amanece empiezan a cavar y a traer leña y agua a sus casas y dar orden en las otras de que tienen necesidad (p. 116).

Podemos comparar ese pasaje con el que ahora inscribo:

> Con estos (los indios Avavares) fuimos siempre bien tratados, aunque que lo que habíamos de comer lo cavábamos, y traíamos nuestras cargas de agua y leña (p. 128).

Es natural por otra parte que nunca se produzca una total identificación; los españoles son de otro sexo, pero también de otra raza, y por ello van colocados en un extraño intersticio, dentro de un registro de ambivalencia perpetua. Las indias tienen mucha mayor movilidad que los indios, pueden servir de mensajeras, contratar (es decir, comerciar) aunque haya guerra (p. 147), y están eximidas de ciertos tabús que pesan sobre los hombres, pero mantienen el papel subordinado que su sociedad les asigna. En cambio, si los españoles se ocupan "en oficios de mujeres" se "amariconan", y se identifican tácitamente con esos indígenas que "usan prácticas contra natura"; su sexualidad es sospechosa, los hace participar de dos naturalezas, "ya sea en hábito de mujer unas veces, y otras como hombre...", y, por ello mismo, serían la reproducción exacta de Mala Cosa. Si añadimos a esto, el hecho de que ese personaje es también un curandero, se redondea la similitud.[28]

La metamorfosis definitiva se lleva a cabo en la última sección del texto: los sobrevivientes son ya los hijos del Sol, los portadores de la salud, los ungidos, los predestinados. Es razonable suponer que su ambigüedad sexual metaforizada por Cabeza de Vaca de las diversas maneras que he esbozado antes, empiece a disiparse, por lo menos en lo que se refiere a la función física inmediata. Al referirse a ciertas costumbres matrimoniales de los indígenas de la isla de Malhado, probablemente cerca de Galveston, Cabeza desliza una información que podría ser pertinente en este contexto: "Cada uno tiene una mujer conocida. Los físicos son los hombres más liberados; pueden tener dos y tres y entre éstas hay muy gran amistad y conformidad" (p. 103). Es verosímil que, aunque, en este caso, se trata de los indios que "tienen" a los españoles –es decir, los indios que los tratan como esclavos–, al liberarse y convertirse en hijos del Sol, los sobrevivientes pudieron muy bien haber tenido de dos a tres mujeres y con ello anular su posible identidad con Mala Cosa.

Para finalizar este apartado, quiero hacer una última observación. Otro de los extraños pero funcionales repliegues de la textualidad permite hacer una suposición que, añadida a las sugerencias antes expresadas, ayuda a delinear este discurso erótico del que he manejado apenas unos cuantos datos. El último capítulo de la relación ha provocado asimismo gran extrañeza.[29] Es como un apéndice o una coda al capítulo 37, ya de por sí bastante extraño: relata las peripecias que le suceden a Cabeza de Vaca en su regreso a España; incluyen varios naufragios y un asalto de piratas. El capítulo termina con su firma y una certificación notarial legalizándola.[30] Por ello, se supone que el último capítulo es agregado, una especie de excrecencia textual que rompe el viejo principio de distribución escrituraria. No es así, al contrario, su inclusión da cuenta de la circularidad de la narración, la escritura se ha mordido la cola, se ha dado la vuelta, y, en ese periplo remacha el carácter milagrero del protagonista y su vinculación con personajes transgresores,[31] con lo que elige la senda milagrera de la relación, senda por otra parte poco canónica. Su relación con las mujeres y su tácita sexualidad explican el carácter periférico del capítulo, esta salida de madre de la textualidad.

¿Qué otra cosa es la mora de Hornachos, esa extraña mujer que antes de que se inicie la expedición ha previsto todos sus infortunios y se los ha referido al Gobernador Pánfilo de Narváez?: "Ella [una de las mujeres] le respondió y díjole que en Castilla una mora de Hornachos se lo había dicho, lo cual antes que partiésemos de Castilla nos lo había a nosotros dicho y nos había sucedido todo el viaje de la misma manera que ella nos había dicho" (p. 171); ¿y qué son esas diez mujeres casadas (presto amancebadas, al conocer la muerte de sus maridos) que también lo saben, como se deduce de la cita anterior, por que se los ha dicho una de ellas, quien a su vez recibió la información del propio Gobernador? Quizá esta agorera corporifica otra de las proteicas personalidades de Mala Cosa. ¡Quién sabe!, pero cabe por lo menos preguntárselo. Lo cierto es que ese capítulo, arrancado de la textualidad canónica y manejado a manera de conseja (*díjole–que–dijo–que–había dicho*) y de excrecencia escritural, respalda con creces el carácter milagrero de nuestro narrador y vincula ese aspecto de su personalidad con un erotismo dudoso y encubierto.

*"Las particulares relaciones..."*

El recorrido triunfante de Álvar Núñez hacia el Sur –su reencuentro con lo civilizado, con la historia, con la escritura– adquiere proporciones heroicas: va perseguido por una multitud oleaginosa –¿una Cruzada?–. Avanza sin obstáculos: la narración se inscribe en un contexto borroso, medieval, de milenarismos y milagros: la nueva edad de oro, la parábola evangélica, la edad de la inocencia y, además, la presencia del "salvaje".

Más que nunca el texto asume la forma del palimpsesto: encubiertos a medias, o superpuestos, se leen los diversos discursos que, aunque silenciados, pueden descifrarse por su referencialidad: el discurso mítico pero a la vez erótico: la Fuente de la Eterna Juventud y, por consiguiente, el rescate del cuerpo; la pureza o renacimiento por inmersión –el bautismo de Cristo en el Jordán–; la prístina inocencia o desnudez paradisiaca (que converge con la de la Edad de Oro). La providencia, el presagio, lo crístico aparecen también resumidos en expresiones lexicalizadas; como narraciones parabolizadas a la vez que concretas; o mediante figuras retóricas que a la vez que concentran y silencian, hiperbolizan y reiteran. Lo etnológico –el discurso "real" o realista– coexiste con los discursos míticos o con el discurso de la curación milagrosa del chamán, obviamente, uno de los discursos del poder y, finalmente, el discurso erótico disimulado en la alegoría pero a la vez desmesurado en su concreción .

En este punto de la relación se produce un lapsus textual significativo. Álvar Núñez se ha esforzado por insertar en su escritura relatos paralelos que den cuenta del destino final de todos los miembros de la expedición de Narváez. Estas narraciones intercaladas le han sido transmitidas oralmente por algunos de los españoles sobrevivientes y por los diversos indígenas que encuentra a lo largo de su vagabundeo: al cabo de seis años de vivir entre ellos, ha aprendido seis lenguas. La transmisión se produce siguiendo una curiosa modalidad en su registro: recibe las narraciones *de mano en mano*, y no, como pudiera esperarse, *de boca en boca*. De ir "mudos y sin lengua" al principio de la narración, pasan ahora –diría yo– a tener *la lengua en la mano*, pues, ¿de qué otra forma podría interpretarse la transmisión a la escritura de un testimonio oral efectuado "de mano en mano"? ¿Acaso Bernal no nos permite inferirlo también cuando, en el acto de escribir su relación de la prodigiosa y *Verdadera Historia de la Conquista de México*, nos previene: "Antes que *más meta la mano* en lo del gran Moctezuma..." Además, ese acto concreto de pasar los relatos de mano en mano sugiere de inmediato la acción de escribir y niega la simple oralidad, patrimonio de los pueblos sin historia.

La expresión "de mano en mano" tiene otra finalidad aún más precisa: pretende dividir tajantemente las dos formas de vida: la española y la indígena. Los españoles aparecen siempre consignados con su nombre: Núñez insiste en individualizarlos, en darles un lugar en la historia.[32] Los indígenas, aunque reciban en ocasiones un gentilicio, aparecen en el relato como enormes masas anónimas, el producto colectivo de esa pulverización a la que, en la época de su esclavitud, estuvo Álvar Núñez sometido. El camino definitivo de la redención marca su separación de los indígenas; es muy revelador, en este contexto, el hecho de que los tres cristianos occidentales, Castillo, Dorantes y el propio Álvar Núñez dejen de comunicarse verbalmente con los indios y su comercio con ellos se establezca a través de Estebanico, el negro, convertido en *lengua*, es decir, en intérprete, de los españoles. Ocupa de nuevo así el lugar que le corresponde dentro de la jerarquía social impuesta por Pánfilo de Narváez al pisar las tierras de la Florida, durante ese breve gobierno portátil que instituyó al fundar una ciudad en el papel, y que imita a la letra –literal por que está escriturado– los cánones del gobierno imperial. A Estebanico sólo se le conoce por su nombre de pila y su actuación como mensajero e intérprete subraya el comportamiento sacerdotal de los conquistadores, investidos de su alto rango de chamanes –en el que sobresale Álvar Núñez por el papel protagónico que él mismo se adjudica en el relato–. Los ungidos ya no hablan, escribirán más tarde (*Naufragios*), utilizarán los relatos habidos de *mano en mano*; han empezado a cercenarse de una tradición de la que formaron parte durante una etapa de su vida. Lévi-Strauss sintetiza este proceso: "La historia organiza sus datos en relación con las expresiones *conscientes*, la etnología en relación con las condiciones *inconscientes* de la vida social".[33]

Al final de su camino, investido jerárquicamente por los propios indígenas de un poder sobrenatural, Álvar Núñez reinscribe en su relación el discurso canónico, "hace pasar –mediante la traducción– la realidad salvaje hacia el discurso occidental",[34] como si la vuelta a lo civilizado le exigiera respetar costumbres ancestrales y caer en la tentación de rechazar aquellas que le permitieron, durante una década, la sobrevivencia. Así lo expresa textualmente Fernández de Oviedo en el primer capítulo de su magna obra:

> Todo esto y *lo que tocare a particulares relaciones irá distinto e puesto en su lugar conveniente*, mediante la gracia del Espíritu Santo e su divino auxilio, con protestación expresa que todo lo que en esta escritura hubiere, *sea debajo de la corrección y enmienda* de nuestra Santa Madre Iglesia apostólica de Roma, cuya migaja y mínimo siervo soy; y en cuya obediencia protesto vivir y morir. (Tomo 1, p. 11).[35]

Las *relaciones particulares* que de mano en mano ha obtenido Álvar Núñez desempeñan en su texto la función de sepulcros cristianos para enterrar, *debajo de la corrección* católica, las creencias y las prácticas que lo han convertido en figura prominente de las sociedades "bárbaras"; para ello recupera los cuerpos de los españoles que mueren en la textualidad y se encarga también de sepultarlos allí piadosa y cristianamente, y sobre todo, de absolverlos y proporcionarles una lápida. Invocar de mano en mano los relatos, meter luego la mano en la pluma y escribir su relación final a manera de rescate, lo redime y los redime, dándoles cristiana sepultura. Son significativas, por ello, las palabras con que empieza su último capítulo, intitulado *De lo que sucedió a los demás que entraron en las Indias...:*

> Pues he hecho relación de todo lo susodicho en el viaje y entrada y salida de la tierra hasta volver a estos reinos, quiero asimesmo hacer memoria y relación de lo que hicieron los navíos y la gente que en ellos quedó, de lo cual no he hecho memoria en lo dicho atrás porque nunca tuvimos noticia dellos hasta después de salidos, que hallamos mucha gente dellos en la Nueva España, y otros acá en Castilla, de quien supimos el suceso e todo el fin dello de que manera pasó... (p. 170-171).

### *"hacían que su lengua les dijese..."*

Una labor perpetua de recomposición de la realidad ha obligado a Núñez a echar mano de la escritura para dar cuenta de su experiencia: "pertenece a la etnología, explica de Certeau, apoyar esas leyes en una escritura y organizar en un cuadro de la oralidad ese espacio del otro".[36] Resulta sin embargo que "ese espacio del otro" suele ser también *el propio espacio*. ¿Cómo, entonces, dar cuenta de él, legitimarlo?

Una vez recogidas de mano en mano y *puestas las relaciones particulares en su lugar conveniente*, es decir, una vez escrituradas legalmente –ante escribano– todas las peripecias de la expedición, o para decirlo mejor *puestas* en una escritura canónica y por tanto oficial, provista de todas las licencias correspondientes para editar su relación, Álvar Núñez retoma otros incidentes de su propia vida y los coloca "en boca" de los indígenas. Usar la tercera persona lo libera de cualquier heterodoxia: atribuirle a los otros, a los indígenas, una visión distinta de la realidad, legitima la expresión de su propia opinión sobre las conductas que, ahora sí, *él* visualiza como *heterodoxas*, las de los otros españoles, los que pertenecen al bando del tirano Nuño de Guzmán, señor de las tierras de cristianos que colindan con los territorios recorridos por los supérstites.

> A los cristianos les pesaba de esto y *hacían que su lengua les dijese* que nosotros éramos dellos mismos y nos habíamos perdido mucho tiempo había, y que éramos gente de poca suerte y valor, y que ellos eran los señores de las tierras, a quien habían de obedecer y servir. Mas todo esto *los indios tenían en muy poco o no nada de lo que les decían*, antes unos con otros entre sí platicaban diciendo que los cristianos mentían, porque *nosotros veníamos de* donde salía el sol y *ellos donde se pone*, y que *nosotros sanábamos* los enfermos y *ellos mataban* los que estaban sanos, y que *nosotros veníamos desnudos y descalzos y ellos vestidos y en caballos y con lanzas*, y que *nosotros no teníamos codicia de ninguna cosa*, antes todo cuanto nos daban tornábamos luego a dar y con nada nos quedábamos, y

los otros no tenían otro fin sino robar todo cuanto hallaban y nunca daban a nadie, *y desta manera relataban todas nuestras cosas y las encarecían*; por el contrario de los otros (p. 161).

No se trata simplemente de efectuar un deslinde y colocar en dos lugares perfectamente separados a los "bárbaros" y a los cristianos; se trata de reubicar a los supervivientes en ese lugar intermedio, transcultural, que gracias a su odisea han adquirido.[37] Álvar cumple simultáneamente varias funciones y se inserta en distintas jerarquías: es un *físico*, un chamán y para dirigirse a los indios esgrime un calabazón "de los que nosotros traíamos en las manos..., principal insignia y muestra de gran estado..." (p. 164), por lo que recibe en trueque –como rescate– los tributos correspondientes a su rango de chamán: "quince hombres nos trujeron cuentas y turquesas y plumas (p. 164)". Pero es totalmente un funcionario de la Corona, cuando después de haber recibido los rescates y a pesar de ellos, se sirve de un lengua indígena y les hace leer a los nativos el *Requerimiento*, la fórmula jurídica, previa a la evangelización, que, en caso de que los indígenas no aceptaran de inmediato convertirse en súbditos de los españoles, sancionaría cualquier guerra "justa". El requerimiento leído por Núñez al finalizar la Relación es idéntico al que, después de "poblar" y tomar posesión de los nuevos reinos en nombre de su Cesárea Majestad, habría pronunciado Pánfilo de Narváez al desembarcar en Florida:

Y el Melchor Díaz dijo a la lengua que de nuestra parte les hablase a aquellos indios y les dijese cómo veníamos de parte de Dios que está en el cielo y que habíamos andado por el mundo muchos años diciendo a toda la gente que habíamos hallado que creyesen en

Dios y que lo sirviesen porque era señor de cuantas cosas había en el mundo..., y que allende desto si ellos quisiesen ser cristianos y servir a Dios de la manera que les mandásemos, que los cristianos los tendrían por hermanos y los tratarían muy bien y nosotros les mandaríamos que no les hiciesen ningún enojo, ni los sacasen de sus tierras, sino que fuesen grandes amigos suyos; más que si esto no quisiesen hacer, los cristianos los tratarían muy mal y se los llevarían por esclavos a otras tierras. (pp. 164-165)[38].

Álvar Núñez ha vuelto al punto de partida, sí, pero sólo imperfectamente porque su cuerpo "ha sacado señal": Las marcas son indelebles, han sido trabajados por otras lenguas y otras escrituras, las de la horadación, el embijado, el tatuaje, la intemperie y el hambre, inscripciones que, al organizar el palimpsesto –la superposición de discursos y la ambigüedad social y sexual– lo hacen *indestructible.*

Y llegados en Compostela, el gobernador (Núño de Guzmán) nos recibió muy bien y de lo que tenía *nos dio de vestir, lo cual yo por muchos días no pude traer, ni podíamos dormir sino en el suelo...*(p. 167).

# SEGUNDA PARTE

# SOR JUANA Y OTRAS MONJAS

## VI
## LA CONQUISTA DE LA ESCRITURA*

La hagiografía es una escritura particular, narra la vida de los santos. Es, por ello, una escritura edificante. Para Sebastián de Cobarruvias, el autor del *Primer Diccionario de la Lengua Castellana*, edificar tiene además de su significado original, el de construir, un sentido figurado, "dar buen ejemplo uno con su vida y costumbres llevando a los demás tras sí con imitarle". Las vidas de santos pretenden dejar de lado lo singular y lo específico, para destacar lo ejemplar, la médula del discurso, aquello que es cíclico, tautológico, redundante. La hagiografía católica española del siglo XVII –tanto en la Metrópoli como en las Colonias– se especializa en un tipo de discurso subordinado que no relata propiamente la vida de los santos, sino la de aquellos que al dar pruebas de "humildad profunda, mortificación extremada, pureza angélica", optan por el camino de la perfección, o son postulados por sus biógrafos para la santificación.

La piedra de toque de este edificio singular es un monumento escrito: parte de lugares comunes, las virtudes, y se apoya muchas veces en los milagros, acontecimientos extraordinarios. La combinación de am-

*(Este trabajo fue leído en el Homenaje internacional a Sor Juana, en El Colegio de México, del 11 al 13 de noviembre de 1991, y será publicado en los Anales del coloquio. Se Publicó en *Debate feminista* con el título de "La conquista de la escritura: Sor Juana y otras monjas" , año 3, vol 5, marzo, 1992, pp. 223-239.

bos datos proporciona recetas para alcanzar ese estado que en su grado más alto resultaría en la canonización, máxima instancia de consagración, por ejemplo el caso de Santa Teresa de Jesús. El esquema primordial de imitación –que arquitectura sus vidas– es la Pasión de Cristo, el verdadero modelo para armar. La meta se alcanza si se recurre a un método "democrático", inventado por Ignacio de Loyola: los ejercicios espirituales. Decía así San Ignacio:

> El hombre no tiene más que dirigirse hacia Dios por los debidos caminos para alcanzarlo; a él puede llegar solamente con su fervor y el conveniente uso de las facultades naturales. Así *como andando y corriendo el cuerpo se adiestra, también es posible, por medio de ejercicios, dar a la voluntad la disposición necesaria para encontrar la voluntad de Dios.*[1]

¿En la expresión genérica usada por Ignacio de Loyola, "el hombre", se incluye a la mujer? ¿La práctica, preconizada y definida por un sistema de ejercicios, intenta reproducir en el cuerpo femenino la Pasión de Cristo como uno de los senderos que conducen al camino de perfección? ¿Cómo se produce el salto cualitativo que hace del ejercicio también una escritura? ¿De qué reglas se requiere para permitir a la mujer su ingreso a esa tradición escrituraria, reservada a los hombres? ¿Por cuál discurso debe optar la mujer, por el hagiográfico o por el autobiográfico? Y, por último, ¿escapa la más destacada escritora mexicana, Sor Juana Inés de la Cruz, a las suplicios y tiranías que en esa época se reservaban a la mujer que tomaba la pluma?

Me contento con plantear las preguntas y adelantar algunas hipótesis.

*Las actividades y los lugares propios de la mujer*

Las crónicas de los conventos y colegios de monjas fueron escritas por mujeres, de la misma manera que las crónicas de los frailes fueron escritas por los monjes. Hay una diferencia fundamental sin embargo: ellos escriben y, algunas veces –sobre todo si pertenecen a las altas jerarquías eclesiásticas–, hacen publicar sus propias obras; los textos de monjas se editan con menos prodigalidad, casi siempre se mantienen manuscritos, en forma de "cuadernos de mano", y a menudo sirven como material en bruto para que los confesores y prelados los "descifren" y elaboren sus materiales hagiográficos y litúrgicos.[2] Pocas veces se mencionan las fuentes, una excepción notable es Don Carlos de Sigüenza y Góngora que, al referir en su *Paraíso occidental* la fundación del convento concepcionista de Jesús María, subraya expresamente:

> Ocurrí al Archivo Real del Convento, cuyos papeles se me entregaron y también varios cuadernos de autos y cédulas. Leí también las relaciones originales que de la Fundación del Convento escribieron las V.V.M.M. Inés de la Cruz y Mariana de la Encarnación y la que de su vida dio aquélla al Padre Gaspar de Figueroa, su confesor, y con lo que de una y otra dejó dicho la madre Catalina de Cristo...[3]

La labor específica de esas monjas, el grueso de su escritura histórica, se ha perdido a pesar de que existieron más de sesenta conventos de monjas en la Nueva España. Las razones son varias, quizá dos sean las principales: *a*) los archivos de los conventos de monjas fueron destruidos durante la exclaustración ordenada por los liberales en la segunda mitad del siglo XIX y, *b*) a menudo sus escritos desaparecieron como materia prima de los textos de los sacerdotes y prelados: al considerar la escritura de las mujeres como una producción subordinada, la del amanuense, los autores de obras edificantes " organizaron" y, sobre todo,"descifraron" sus escritos.[4]

Era lugar común en esa época describir a la mujer como un ser naturalmente "flaco y deleznable", húmedo, viscoso, y además, de corto entendimiento. Fray Luis de León avisa decidido:

> ...así como a la mujer buena y honesta la Naturaleza *no la hizo* para el estudio de las ciencias, ni para negocios de dificultades, sino para un solo oficio simple y doméstico, así les limitó el entendimiento, y por consiguiente, les tasó las palabras y las razones [...] *han de guardar siempre la casa y el silencio.*[5]

Si se toman al pie de la letra las indicaciones de Fray Luis, podría decirse que para la mujer no debe existir diferencia entre la casa y el convento y que, en suma, en ambos sitios se le exige un voto de clausura y de silencio. El relato colectivo de las monjas anónimas que hacen la crónica de la fundación del Convento de la Enseñanza en México, explica cómo el núcleo primordial de esa institución fue un grupo de mujeres "en retiro" en su propia casa, dedicadas "*a un continuo ejercicio* que incluía entre sus prácticas las lecciones pías, las oraciones continuas y las *operaciones de manos*, con que –explican– daban descanso a la cabeza, sin dar entrada a la ociosidad y sobradas conversaciones".[6] El retiro domiciliario que deriva en convento, produce una obra escrita colectiva:

> Esta vida retirada da margen para discurrir cuán celestialmente vivirían unas señoras de esta clase, que no pudieran tener otro motivo

> para observar tan estricta clausura sino sólo el abstraerse de las gentes para entregarse desembarazadas al devoto reverente trato con Dios Nuestro Señor, y era así en la madre, como en las hijas, una virtud extraña, principalmente en nuestros tiempos [...] y como cada estado tiene sus virtudes que son de todas, tienen otras que les son propias, las de una doncella hija de familia: son la sujección, la obediencia, el recogimiento, el silencio, la compostura y la modestia.[7]

Fray Luis de León tenía razón: la casa y el convento pueden ser una sola cosa. Es más, en ambos sitios, tanto las mujeres decentes como las monjas hacen labores y "operaciones de manos". Las "operaciones de manos" son descritas por Sor Juana Inés de la Cruz como esas "habilidades de labores y costuras que desprenden las mujeres...".[8] Una monja carmelita, Sor Juana de Jesús María, fue muy diestra "en todo género de costura labrando, deshilando, bordando todo lo necesario en la sacristía..., hizo los ornamentos de la iglesia, los vestidos de los santos, reliquias pequeñas y grandes, de sus manos salieron flores y rosas de seda y oro y de lienzo y de ellas salieron los ramilletes con que se adornaban los altares en las festividades sacras",[9] además de ocupar el cargo de cronista de su orden.

*Otro ejercicio de las manos: la escritura*

Entre las labores de mano está, sin lugar a dudas y asociada con ellas, la escritura. A diferencia del bordado, el deshilado, el labrado, labores de mano propiamente femeninas, catalogadas como actividades lícitas y normales, la producción de la escritura femenina es ambigua y sufre los vaivenes que le imprime el "dictamen" de los confesores: es una actividad sospechosa y vigilada, por lo que puede volverse intermitente o desaparecer por completo.

Las monjas podían dedicarse a escribir para reglamentar las actividades de su convento; eran contadoras, escribanas y ya lo vimos, cronistas. Pero, en realidad, las monjas escriben fundamentalmente para cumplir con las órdenes de su confesor, quien puede obligarlas a escribir sin tregua o a suspender, sin motivo aparente, ese ejercicio. Más significativo aún es el hecho de que los prelados de alta jerarquía obligasen a los confesores menores a exigir de algunas monjas una escritura autobiográfica. El Obispo Manuel Fernández de Santa Cruz, quien con el pseudónimo de Sor Filotea imprimió la *Carta Atenagórica* de Sor Juana Inés de la Cruz, le exige a uno de sus subordinados que le proporcione materiales de primera mano de las monjas del convento al que se halla adscrito:

> Apúrela más en que diga lo demás que le pasó en los veinte años del Siglo, pues *no es posible que no tenga más*; y con ocasión de que se refiere, si tuvo tentaciones, o otros trabajos anteriores, y socorros espirituales de Dios, se acordará para decirlos, Guarde V. Merced, con cuidado los papeles, y *envíeme los de esa otra* con Don Ignacio.[10]

La curiosidad y el fervor –casi sospechosos– con que el Obispo de Santa Cruz perseguía y exigía la escritura monjil puede ilustrarse con varios ejemplos, elijo éste: Cuando una generación de cronistas carmelitas del siglo XVII empezó a desaparecer, el Obispo de Puebla ordenó a las carmelitas que hicieran una nueva crónica y que consignaran todo lo que sabían de la fundación de su orden y de las madres más antiguas. Los cuadernos "de mano" que las monjas escribieron los revisó él mismo, mandando que continuaran la crónica, anotando en ella todo lo que le pareciera importante en la vida del monasterio así como las biografías de las monjas que fueran muriendo.[11]

Cadenas de servidumbre, las autobiografías o vidas escritas por monjas servían en ocasiones como ya lo he dicho, sólo como materia prima, utilizada para elaborar los sermones o relatos edificantes de los altos dignatarios eclesiásticos. Numerosos manuales dan cuenta de esta actividad, en última instancia, otra forma de ejercicio espiritual y práctico: su nombre mismo lo proclama: se conocen con el nombre genérico de Prácticas de Confesores de Monjas. Y en las licencias que autorizan la publicación de ciertos documentos suelen leerse declaraciones como la siguiente, incluida en el sermón obituario de Sor María Inés de los Dolores, profesa en el Convento de San Lorenzo de la Ciudad de México:

> ...para que vuestras reverencias puedan leer en ella *el ejercicio práctico de las virtudes en que se ejercitaba*: pues aquel continuo padecer que Vuestras Reverencias vieron, y que ella no sabía explicar, lo *descifra maravillosamente*, con qué destreza ¡con cuánto espíritu!, ¡con cuánta solidez! y con cuánta alma el Reverendo Padre Doctor Juan Antonio de Oviedo de la Compañía de Jesús.[12]

Por su parte, cuando las monjas declaraban que escribían por orden de su confesor[13] cumplían con el voto de obediencia, el cuarto voto que junto a los de clausura, castidad y pobreza era jurado por las monjas al entrar en el convento. Este cuarto voto es obviamente uno de los puntales en que se apoyan los jesuitas, y lo refuerzan también en los ejercicios espirituales entre los que puede incluirse la escritura. Al mismo tiempo hay que advertir que cuando las monjas avisan que han sido constreñidas a escribir se hacen tributarias de una retórica a la moda: dan cuenta de un mandato, de un "dictamen" de los confesores: revela de entrada la importancia que la sociedad patriarcal les otorga a las mujeres, al tiempo que pretende mantenerlas en el lugar que les ha sido asignado, pero esta explicación es simplista, oculta algo más. Mariana de la Encarnación, una de las monjas fundadoras del convento de Santa Teresa concluye con estas palabras su relación:

> Paréceme he cumplido lo que me mandó la *obediencia* de escribir esta fundación tan prolija y tan larga, no he podido ni he sabido más, pido humildemente perdón de las faltas y sobras. Pues se sabe que en mi cosecha no tengo más que ignorancia y desacierto, *consuélame que no ha sido yerro de obedecer y mortificarme en vencer la resistencia que en hacer esto he tenido*; glorificado sea nuestro Señor por todos los siglos de los siglos, Amén. *La más imperfecta e indigna de este convento.*[14]

El reiterado uso de fórmulas como las subrayadas por mí en el texto da qué pensar: anoto, al paso, algunas reflexiones: *a*) la modestia infinita que revelan no deja de parecer sospechosa y es evidentemente una de las fórmulas de la cortesanía barroca: una humildad ejemplar que a la vez que abulta y realza la calidad de quien escribe, lo hace descender al lugar más bajo de la escala, la del humilde siervo de Cristo, a quien se imita pero nunca se llega a igualar; *b*) y, en el caso de las mujeres, lo más importante es advertir que acatan un mandato, convertido en precepto y "ley natural": la escritura no les pertenece y cuando manifiestan su repugnancia a escribir subrayan que aceptan esa inferioridad genérica convertida en "dictamen", reforzado por el confesor, quien, por su parte también se identifica simplemente como un amanuense de Dios.[15]

*Escritura y caligrafía*

Por ello quizá deba desmontarse el proceso de producción de esta escritura femenina, demostrando que se trata de un ejercicio especial en las mujeres, en cierta medida distinto –cercenado– de la misma actividad cuando es emprendida por un hombre. Cuando sabe escribir, la mujer de la sociedad barroca asocia ese movimiento de su mano con el de las labores manuales propias de la mujer: cocinar, bordar, coser, hilar, y hasta ¿por qué no? barrer, escombrar, actividades hechas, todas, con las manos. Sin embargo, esta actividad estética y ordenadora, esencial para que la vida se mantenga, es despreciada: se la toma como una simple manifestación –natural– de lo femenino. El hombre, se deduce, escribe con la cabeza, la mano es apenas un instrumento subordinado, encargado de poner en ejecución el ejercicio de la mente. A este respecto, es muy significativo un pasaje de la carta recién descubierta de Sor Juana Inés de la Cruz, dirigida al Padre Núñez de Miranda:

> ...ya que en su opinión es pecado hacer versos, ¿en cuál de estas ocasiones ha sido tan grave el delito de hacerlos? Pues en la facilidad que todos saben que tengo, si a ésta se juntare a motivo de vanidad, ¿que más castigo me quiere Vuestra reverencia que el que entre los mismos aplausos, que tanto le duelen, tengo? [...] Y de todo junto resulta un tan extraño género de martirio cual no sé yo qué

otra persona haya experimentado [...] *Que hasta el hacer esta forma de letra algo razonable me costó una prolija y pesada persecución, no más de porque dicen que parecía letra de hombre y que no era decente*, conque me obligaron a *malearla* adrede, y de esto toda esta comunidad es testigo.[16]

Una mujer que hace versos debiera tener una forma de letra *razonable*, sobre todo si además, como se lee en la *Respuesta a Sor Filotea* realiza prodigiosas "labores de mano". El argumento de Sor Juana parece definitivo, contundente; es peligroso, sin embargo, porque la buena caligrafía en la mujer se contamina de indecencia; se vuelve un signo obsceno que dibuja la sexualidad, la mano es una proyección de *todo* el cuerpo: opera como una figura retórica, la sinécdoque, es decir, toma la parte por el todo.[17] *Malear* la letra equivale en la escritura femenina a deformar el cuerpo, carne de tentación que con su belleza amenaza a los hombres, parte de esa trilogía maldita –Mundo, Demonio y Carne– que obstruye el camino hacia la perfección, cuyo desbroce pudieran ser los ejercicios espirituales.[18] Desde los comienzos del catolicismo, y a través de Eva, la belleza femenina ha sido considerada como objeto de perdición; por ello debe destruirse, *malearse*, como se destruye o se malea el cuerpo expuesto a la flagelación, al cilicio. La deformación de la carne favorece, engendra la belleza del espíritu. Las actividades femeninas por excelencia son hilar, bordar o coser: estas labores de mano exigen un resultado final de excelencia, pero una excelencia que se da por descontada y que, por lo mismo, se soslaya y menosprecia.

Sor María Magdalena de Lorravaquio, muerta en 1636 y jerónima como Sor Juana Inés, escribe, igual que las demás monjas, porque sus confesores "mandaron que escribiera su vida" y aprende a leer y a escribir por mandato divino. En sus palabras se advierte con nitidez la mecánica que liga los ejercicios espirituales con las labores de mano, incluyendo a la escritura dentro del amplio diapasón dibujado por ese método que recrea un movimiento de lanzadera que va de una a otra práctica. Así, se dedica a:

> ...enseñar la doctrina cristiana a las mozas de servicio que quieren aprenderla. Después de esto dispongo de lo necesario para el servicio de mis necesidades y de las hermanas que conmigo están, que en esto gasto alguna media hora, después tengo una media hora de lección espiritual en la pasión, vidas de santos, que éstas me alienan y animan mucho a padecer más y más [...] los libros de ejercicios espirituales y, después de esta lección hago *obra de manos*, porque *así por ser voluntad de Dios*, como por ayudar a mis hermanas a ganar para lo menester por no tenerlo y ser pobre o porque no puedo estar ociosa que ocupo en ello hasta las doce o la una, que es la hora ordinaria de tomar algún sustento necesario. Después de esto vuelvo a la labor de manos y lección espiritual...[19]

Con la descripción anterior, la monja responde a otro de los preceptos del confesor, cumplir al pie de la letra con la distribución de las labores del día, rigurosamente prescritas.[20] Además, subraya la hilación perfecta que hay entre los tipos de labores, su absoluta continuidad: la escritura, el ejercicio espiritual –casi siempre la flagelación seguida de meditaciones y raptos– y el bordado, son, en las mujeres, actividades relacionadas con las "labores de manos".

Dentro de esta línea argumental, es quizá posible recolocar en el lugar que le corresponde uno de los episodios más citados de la vida de Sor Juana. El Padre Calleja, autor de una semblanza póstuma de la célebre escritora, relata con ferviente admiración una anécdota archicitada que a él le relatara, con el mismo entusiasmo desbordante, el Marqués de Mancera refiriéndose a la época en que, siendo él Virrey de la Nueva España, la monja fue dama de honor de la Virreina, su esposa:

> Aquí referiré con certitud no disputable [tanta fe se debe al testigo] un suceso...[que] el señor Marqués de Mancera... me ha contado dos veces, que estando con no vulgar admiración de ver en Juana Inés tanta variedad de noticias, las escolásticas tan (al parecer) puntuales, y bien fundadas las demás, quiso desengañarse de una vez, y saber si era sabiduría tan admirable, o infusa, o adquirida, o artificio, o no natural, y juntó en su Palacio cuantos hombres profesaban letras en la Universidad y Ciudad de México: el número de todos llegaría a cuarenta y en las profesiones eran varios, como teólogos, escriturarios, filósofos, matemáticos, historiadores, poetas, ...No desdeñaron la niñez [tenía entonces Juana Inés no más de diecisiete años] de la no combatiente, sino examinada, tan señalados hombres, que eran discretos, ni aun esquivaran descorteses la científica lid por mujer, que eran Españoles... y atestigua el Señor Marqués, que no cabe en humano juicio creer lo que vio, pues dice "*Que a la manera que un Galeón real* (traslado las palabras de su Excelencia) *se defendería de pocas chalupas, que le embistieran, así se desembarazaba Juana Inés de las preguntas, argumentos y réplicas, que tantos, cada uno en su clase, la propusieron* ...¿Qué estudio, qué entendimiento, qué discurso, y qué memoria será menester para ésto? [21]

Es fácil detectar en este pasaje una admiración que enaltece y desvirtúa a su objeto. Sor Juana es presentada como en una feria, a la manera en que se presentaban los prodigios, los monstruos de la naturaleza o esos fenómenos que en la Corte servían como bufones y que tan atractivos les eran a los reyes. Sor Juana es objeto de estupor, semejante en su desmesura a la desazón que le producían a Covarrubias, el filólogo de 1611, los enanos:

> El enano tiene mucho de monstruosidad. Porque Naturaleza quiso hacer en ellos un juguete de burlas, como en los demás monstruos. Destos enanos se suelen servir los grandes señores... En fin, tienen dicha con los príncipes estos monstruos, como todos los demás que crían por curiosidad y para su recreación...

También entre las mujeres hay excepciones a la regla. Las monjas o beatas que merecieron una biografía en la que su vida fue "descifrada" por un hombre "de razón", son calificadas siempre siguiendo el patrón de la virilidad: "fue una mujer verdaderamente varonil" o, reitero, "podemos aplicarle el epíteto de la mujer fuerte, por su ánimo varonil y magnánimo corazón", o, de manera superlativa, se convierten en "un Job de las mujeres" añado, para mostrar su redundancia, un ejemplo más:

> Esta América Septentrional, tan celebrada por sus ricos minerales, puede gloriarse de haber sido patria de una mujer tan heroica que podemos aplicarle el epíteto de la mujer fuerte, por su ánimo varonil y magnánimo corazón.[22]

En ese correlato de paralelos, una gran mujer se ha convertido en un gran hombre. Las vidas edificantes simulan erigir el mismo monumento reiterado, gracias al cual despojan de su especificidad a los seres retratados. Al igualar a las figuras allí representadas con un molde, al subrayar la heroicidad con un sistema de correspondencias que les niega cualquier parecido con el original, se "edifica" el dogma. Por fortuna, todo mausoleo tiene sus grietas y la hagiografía tiende a convertirse en autobiografía. La hazaña pasmosa, el prodigio dos veces relatado es reducido por la propia Sor Juana a su justa proporción:

> El lector lo discurra por sí, concluye Calleja, que yo sólo puedo afirmar, que de tanto triunfo quedó Juana Inés (así me lo escribió, preguntada) con la poca satisfacción de sí, que si en la Maestra (la escuela elemental) *hubiera labrado con más curiosidad el filete de una vainica*...[23]

¿Y qué es una vainica? El *Diccionario de la Real Academia* la define como "el deshilado menudo que por adorno se hace especialmente en el borde de los dobladillos". Y por su etimología aprendemos que "vainica" procede de vaina que, a su vez, proviene de la palabra latina *vagina*. Una vainica sólo puede entonces confeccionarla una mujer. Sor Juana coagula las dos significaciones y, al hacerlo, unifica dentro del mismo conjunto y les da el mismo valor a las labores de mano: tanto el bordado, el deshilado, como la costura valen igual, ni más ni menos, que "sus negros versos", por los cuales su confesor la acusa, "fiscaliza sus acciones", haciéndola objeto de "escándalo público". Versos que, subraya ella, "he rehusado sumamente el hacerlos y me he excusado todo lo posible no *porque en ellos hallase yo razón de bien ni de mal, que siempre los he tenido (como lo son) por cosa indiferente*".[24]

Por su parte, María de Zayas, la novelista española de la primera mitad del siglo XVII, anota:

> ...como los hombres, con el imperio que Naturaleza les otorgó en serlo, temerosos quizá de que las mujeres no se los quiten... Luego al culparlas de fáciles y de poco valor y menos provecho es porque no se les alcen con la potestad... y así, *en empezando a tener discurso las niñas, pónenlas a labrar y hacer vainillas*, y si les enseñan a leer, es por milagro...[25]

*De la palabra manuscrita a la letra impresa*

Pareciera que la literatura femenina novohispana hubiera sido escrita, salvo excepciones, por mujeres que declaraban que no deseaban escribir. En esto Sor Juana tampoco es una excepción, si nos atenemos a sus comentarios expresos no sólo en la *Respuesta a Sor Filotea* , sino en varios de sus poemas y en la carta llamada de Monterrey. Como lo he subrayado varias veces, la mayoría explica que escribió por mandato expreso de sus confesores, celosos de vigilar su intimidad y controlar sus más mínimas acciones y hasta el flujo de su pensamiento. La literatura se mantuvo casi siempre manuscrita, en copias llamadas "de mano" que las religiosas se encargaban de caligrafiar. La madre Mariana de la Encarnación, devota dada al misticismo, se comunica con Dios, a través de

> ...unos cuadernos de la Vida de nuestra Santa Madre Teresa de Jesús... *Eran de mano* estos cuadernos, que sus libros aún no estaban impresos, y si lo estaban, no habían llegado a mi noticia..."[26]

La escritura de mujeres se recluye en el convento, está hecha para la edificación silenciosa y como apoyo de los ejercicios espirituales y modelos de santidad:

> Y con la nueva devoción de estos cuadernos, se vinieron a aficionar desde las compañeras del ejercicio de la música..., de manera que ya tratábamos todas de ser carmelitas...[27]

La cansada tarea de las amanuenses ofrece muchos puntos de reflexión. Llama la atención un curioso texto, recientemente muy comentado: el de la Madre Sor María de Jesús Tomelín cuya vida fue escrita por la monja Sor Agustina de Santa Teresa –su secretaria–, siguiendo los mandatos del jesuita irlandés Michael Wadding, conocido en México como Miguel Godínez; la vida de la monja ha llegado hasta nosotros, fragmentada, reordenada y reescrita por diversos confesores, y fue grandemente admirada de los más ilustres eclesiásticos de la época, incluyendo a Palafox y Mendoza, a Fernández de Santa Cruz y hasta el importante teólogo español Eusebio de Nieremberg.[28] Aunque su propósito sea dejar memoria de los milagros y devociones de su amiga, Agustina inscribe en su relación rasgos reveladores de su propia vida, pero sobre todo el laborioso ejercicio previo a la producción de la escritura, tan penoso como una flagelación:

> ...al segundo renglón, explica uno de sus compiladores, Felix de Jesús María, *borraba el primero y así de uno a otro venía a tacharse toda la plana...* Daba principio a nueva hoja y aquí añadiendo y allí borrando, formaba un laberinto de caracteres en que no se podía sacar el hilo de los renglones... y al fin, comenta su biógrafo, *de aquel escrito intrincado de taches, rayas y borrones* lo que sacó en limpio fue hacerle mil pedazos y hacerse otros tantos su cabeza, aturdida en buscar el modo de poner en escrito sus conceptos.[29]

Los borrones, las tachaduras, las rayas inscritas en el cuaderno "de mano" reproducen otro esquema singular: el de la mortificación de las pasiones registrado en el propio cuerpo de las monjas. Éste sería un tema largo de desarrollar aquí, cumplo con anotarlo y señalar que converge con el de la imitación de Cristo, esbozado al principio de este ensayo. Otra de las ramificaciones de este tema que me contento con señalar, y que intento dilucidar en un próximo estudio, se relaciona con esa escritura prohibida, refundida en los Archivos de la Inquisición, que en forma de procesos permite vislumbrar esa posible escritura de monjas o beatas condenadas por la Inquisición, muchas veces junto con sus confesores. Y lo menciono porque lo catalogado por el Santo Oficio como escritura subversiva, permanece, como muchos de los cuadernos de mano de las monjas, sin imprimir.

Quiero darle un final provisorio a este escrito: para ello volveré a Sor Juana. La finalidad declarada por el Obispo Fernández de Santa Cruz al dar a la imprenta el discurso teológico de la monja por él intitulado *Carta Atenagórica*, fue, según sus propias palabras "...para que Vuestra Merced *se vea* en este Papel *de mejor letra*".[30] Al dar a la imprenta "sus borrones" como la propia Sor Juana calificaba a sus "cuadernos de mano", el obispo le había concedido la más alta merced: incluirla entre los grandes dignatarios de la Iglesia, los únicos que merecían que un devoto publicara sus "borrones"; asimismo, el acto de dar a la imprenta un escrito lo salva de la desaparición. De la misma manera, había procedido con Sor Juana la Condesa Manrique de Lara al publicar en España su obra poética, esos "negros versos" que para ella pesaban en la balanza lo mismo que una vainica. Pero al hacerlo, el obispo de Puebla también le ordenó que escribiera la historia de su vida, para igualarla a las demás monjas a quienes él conminaba a hacerlo. Sor Juana cumplió con gran maestría; el resultado es no un escrito edificante más, sino una autobiografía: se conoce con el nombre de *Respuesta a Sor Filotea*.

VII

# LA DESTRUCCIÓN DEL CUERPO Y LA EDIFICACIÓN DEL SERMÓN. LA RAZÓN DE LA FÁBRICA: UN ENSAYO DE APROXIMACIÓN AL MUNDO DE SOR JUANA*

La hagiografía es un discurso edificante; se ocupa de vidas singulares, las de los santos. Es modélico, cíclico, tautológico. Este otro discurso semejante, el de los aspirantes a la canonización, santos en ciernes, mujeres y varones que buscaron el camino de la santidad y no lograron ser reconocidos por la burocracia eclesiástica; sus vidas son dignas de imitación, edifican, son ejemplo para los cristianos; constituye una literatura, conocida como edificante. Al término edificar, es decir construir, se le agrega un sentido figurado, "dar buen ejemplo uno con su vida y costumbres llevando a los demás tras sí con imitarle". La piedra de toque de este edificio singular es un monumento escrito: surge de las virtudes, las diarias actividades edificantes, y su piedra de toque son los milagros, acontecimientos extraordinarios. Por ello, es corriente encontrar muchos obituarios y sermones de la época barroca que utilizan términos arquitectónicos para definir una vida ascética;

(*Este Texto, hoy corregido, fue leído en la Universidad de Rutgers, el 27 de marzo de 1991. Su segunda mitad, a partir de la página 14, fue escrita especialmente para el Coloquio *Los discursos del arte,* organizado por el Instituto de Investigaciones Estéticas de la Universidad Nacional Autónoma de México, celebrado en Taxco del 11 al 16 de noviembre de 1992, y será publicado en las Actas del Coloquio. (Nota: El principio del texto repite algunas frases de otro ensayo que aparece en este libro: "La conquista de la escritura").

las metáforas y las alegorías armadas con base en ese vocabulario erigen monumentos verbales, a manera de espejos de escritura.

Su máximo anhelo, el diseño específico a recrear, es la Pasión de Cristo, el verdadero modelo para armar. La meta se alcanza si se recurre a un método "democrático", inventado por Ignacio de Loyola: los ejercicios espirituales:

> El hombre no tiene más que dirigirse hacia Dios por los debidos caminos para alcanzarlo; a él puede llegar solamente con su fervor y el conveniente uso de las facultades naturales. Así como andando y corriendo el cuerpo se adiestra, también es posible, por medio de ejercicios, dar a la voluntad la disposición necesaria para encontrar la voluntad de Dios.[1]

¿En la expresión genérica usada por Ignacio de Loyola, "el hombre", se incluye a la mujer? ¿La práctica, preconizada y definida por un sistema de ejercicios, intenta reproducir en el cuerpo femenino la Pasión de Cristo como uno de los senderos que conducen al camino de perfección? ¿Cómo se produce el salto cualitativo que hace del ejercicio también una escritura?

Otra pregunta más, fundamental en este texto, ¿por qué al discurso hagiográfico, situado al final de la historia, según Michel de Certeau,[2] se le llama también discurso edificante? ¿Qué se construye? ¿Qué edificios se fabrican? ¿Cuál es la razón de su fábrica? Intentaré responderlo analizando un sermón que leyó, en ocasión de la muerte de una monja, el Padre Jesuita Antonio de Oviedo, discípulo, heredero y autor de una vida edificante del padre Núñez de Miranda, muy conocido de manera vicaria porque fue el confesor de Sor Juana Inés de la Cruz.[3]

El sermón lleva el significativo nombre de *Los milagros de la cruz y maravillas del padecer. Sermón que en las solemnes honras que el día 26 de abril de 1728 le hicieron a la V. M. Sor María Inés de los Dolores.*[4]

Las vidas edificantes tratan de las mujeres y de los varones que buscaron el camino de la santidad y se proponen como candidatos a la canonización; esta finalidad se alcanza raras veces pero constituye un modelo de imitación de la Pasión de Cristo. El camino de la vida de perfección es concreto; podría llamársele, literalmente, un tratado arquitectónico de la mortificación del cuerpo: en el propio cuerpo se reconstruye el cuerpo del otro, el de aquel que es imitado, el Redentor. La construcción entonces presupone una destrucción...

*La destrucción del cuerpo*

Ignacio de Loyola inició entonces una nueva forma de religión, basada en los llamados ejercicios espirituales. En realidad, se trata de una conjunción de ejercicios corporales junto con otros de meditación y oración, como lo señalaba al principio de este texto; ejercicios corporales destinados a provocar un estado anímico especial encaminado a provocar el éxtasis y una "interlocución con Dios".[5] Consisten, según las propias palabras del santo, en lo siguiente:

> Castigar la carne [...] es, a saber, dándole dolor sensible, el cual se da trayendo cilicios y sogas o barras de hierro sobre las carnes, flagelándose o llagándose, y otras maneras de asperezas, lo que parece más cómodo y más seguro en la penitencia, es que el dolor sea sensible en las carnes y que no entre dentro de los huesos, de mane-

> ra que dé dolor y no enfermedad; por lo cual parece que es lo más conveniente lastimarse con cuerdas delgadas, que dan dolor de fuera, que no de otra manera que cause dentro enfermedad que sea notable.[6]

Hay que hacer hincapié en la distinción, cuidadosamente subrayada por Ignacio, entre dolor y enfermedad. Se traza una diferencia casi esquizofrénica entre uno y otra. Lo explicaré: No se permitía profesar a quienes estaban enfermos o a quienes tenían alguna deformidad física. María Inés de los Dolores, la monja ciega a quien Oviedo dedica el sermón que me ocupa, recibió el permiso excepcional de profesar cuando estaba ya a las puertas de la muerte ("Lo mismo fue recibir los sacramentos y hacer la profesión..." p. 17). Hacer disciplina era, por otra parte, obligatorio, y formaba parte de los ejercicios espirituales cotidianos, cuya ejecución consistía en aplicar sistemáticamente, sobre las carnes, los instrumentos de tortura, llamados eufemísticamente disciplinas. La vida disciplinaria era una norma en todos los conventos, aun en los de regla más suave. El sistema de penitencias organizado para las monjas de la regla de carmelitas descalzas era tan rígido que Sor Juana tuvo que abandonar, por enfermedad, el convento de Santa Teresa la Antigua, tres meses después de ingresar allí. Flagelarse, penitenciarse, disciplinarse era un deber cotidiano, idéntico en su inflexibilidad al rezo de las oraciones y a la meditación. No es extraño que siguiendo este régimen las monjas cayeran víctimas de muchas enfermedades y, sin embargo, la enfermedad en sí, como ya lo advierte San Ignacio, era un objetivo poco deseable. Lo que se buscaba era provocar el dolor y no la enfermedad. Círculo vicioso sin salida: las penitencias, el ayuno, unidos a las condiciones deplorables de higiene hacían de los conventos lugares muy insalubres. Las monjas estaban siempre en vilo, una enfermedad prolongada podía causar su expulsión del convento y el anatema de Dios, y por tanto de su sociedad.[7]

A estas mujeres, sitiadas entre los ambiguos polos de la enfermedad o del dolor, se les considera místicas. Me parece que se crea cierta confusión cuando se utiliza el término aplicándolo a las monjas que tenían arrebatos y visiones, causados por esta práctica disciplinaria. Quizá se trate más bien, como dice Francisco de la Maza,[8] de un fenómeno de ascetismo. A diferencia de los místicos del XVI, por ejemplo San Juan de la Cruz y Santa Teresa de Jesús, que no precisaban de flagelaciones ni de cilicios para su unión espiritual con Dios, las monjas "edificadas" del siglo XVII utilizaban esos métodos como ejercicio cotidiano para provocar las visiones, en un afán por imitar la Pasión de Cristo y comunicarse con él a través de los sentidos. Una ascética corporal de ese tipo provoca necesariamente delirios: "Con un Santo Cristo y un azote puede llegar a santo cualquiera", decía Santa Catalina de Siena. El ejercicio ascético al que se libraban las monjas de la colonia procede sobre todo de los jesuitas y específicamente de San Ignacio de Loyola que se basó, exacerbándolas, en las teorías de los místicos flamencos de la *Devotio Moderna* y, sobre todo, en la *Imitación de Cristo* de Tomás de Kempis quien instaura una metodología de la vida cotidiana en el campo espiritual; Ignacio la convierte en una práctica corporal, en una jerarquización rigurosa y metódica de las horas del día, dividida y subdividida en múltiples cuadrículas, al grado de que no quede ningún intersticio de libertad para ejercer uno de los máximos atributos de que el hombre disponía, el libre albedrío, defendido teóricamente por los jesuitas y erradicado de la vida de los creyentes por la rigidez con que debía conducirse, según los preceptos de la Compañía de Jesús, que, como la mirada de Argos, pretendía controlar hasta lo infinitesimal. La bibliografía colonial mexicana está llena de textos reguladores –manuales, catecismos, sermones, cartillas– donde hasta las actividades más nimias de la vida diaria y todos los comportamientos se establecen y se definen con base en exclusiones, duraciones temporales, órdenes imperativas. Armados de una ambivalente autoridad, los confesores y los altos prelados exigían a las monjas ejercicios ascéticos "moderados", aunque alababan a aquellas que se desmesuraban en esas prácticas, como puede probarse en numerosos textos de la época:

> [Sor Inés de los Dolores] guardaba aquel total retiro que la ceguera, enfermedades e inclinación de su genio demandaban. Maceraba su carne con ásperos cilicios y sangrientas disciplinas, hasta que la prudente cordura de sus confesores se lo impidió, conociendo que, en los dolores continuos de sus enfermedades, excedía con ventajas cuanto pudiera tolerar con la penitencia más rigurosa (Oviedo fol. 10 v).

La enfermedad, considerada en la Edad Media como una virtud, sobre todo si la padecían las mujeres, propiciaba el camino de la santidad. Hay mayor número de santas enfermas que santos; es más, su santidad solía derivarse de la abnegación y paciencia con que soportaban la enfermedad y atendían a los enfermos. Un porcentaje bastante elevado de santas fueron favorecidas y recibieron los estigmas de Cristo en la Edad Media, mientras que sólo dos santos, Francisco de Asís y el Padre Pío, más tardíamente, fueron objeto de ese señalamiento. A algunas de las santas así escogidas, les sangraban periódicamente los estigmas, al tiempo que una anorexia "sagrada" permitía que cesaran por completo sus secreciones internas, las cuales, al no manifestarse, cancelaban las funciones fisiológicas distintivas de la mujer. Este tema no se trata de manera directa en los textos edificantes del siglo XVII; su manejo es elíptico: trataré de seguir sus recovecos.

*Quitar de nosotras el amor de este cuerpo...*

"Lo primero que hemos luego de procurar, quitar de nosotras el amor de este cuerpo [...] y determinaros mis hijas que venís a morir por Cristo y no regalaros por Cristo".[9]

Para morir en vida por Cristo era necesario mortificarse. Privarse de cualquier tipo de placer, al grado que las carmelitas descalzas aceptaron añadir a los cuatro votos reglamentarios, pobreza, castidad, clausura y obediencia, un quinto voto, enternecedor, la promesa de no comer chocolate. La mortificación es un ejercicio continuado, inquebrantable, y forma parte de la distribución de las horas del día; esa distribución minuciosa, exhaustiva que pretendía cerrar la puerta a cualquier resquicio del mundo exterior y permitir la práctica implacable de la contemplación. Las monjas más mortificadas eran las más santas, las más admiradas. Sor Juana lleva a cabo las disciplinas normales de su profesión, incluyendo los flagelos, pero en su *Respuesta a Sor Filotea* transfiere la idea de martirio al dominio de lo simbólico, acercándose en espíritu y no en cuerpo al Salvador.[10] Por eso la critica el Padre Oviedo, autor de una biografía de su maestro, el padre Núñez, como ya lo había dicho antes, confesor de Sor Juana. En el sermón que he venido analizando no la nombra directamente; su ataque es elíptico, pero su alusión a la monja jerónima es meridiano, tanto como es clara su advertencia a las demás monjas de que el único camino para la perfección y la salvación es la destrucción sistemática del cuerpo, siguiendo ciegamente los métodos que prescribe el confesor:

> Tan lejos estuvo esta señora de amar o desear estos favores de Dios extraordinarios, que temblaba y se horrorizaba sólo con su memoria; allí por juzgarse indigna e incapaz de todos ellos; como por temer el riesgo y peligro que ocasionan, y de que han sido ejemplo espantoso tantos Ícaros, que valiéndose de estos favores como de alas, pero de cera, que, desvanecidas a la luz y calor de los aplausos, los hicieron despeñar en precipicios. Y por ello suplicaba instantemente a Dios, que la librase de ese camino y la llevase sólo por la segura senda del padecer, asistida de vivísima fe, de firmísima esperanza y de ardientísima caridad.[11]

La segura senda del padecer, tan perfectamente definida por Oviedo, incluía un catálogo *ready made* de mortificaciones; se escogían las más adecuadas a cada temperamento y se perfeccionaban de manera individual, único campo de libertad que podía ejercitarse. Traer continuamente una corona de espinas en la cabeza; atarse cadenas gruesas en el cuello o en la cintura, o aherrojar con ellas piernas y brazos, cargar cruces pesadas, disciplinarse con vigor para lograr que la sangre salpicase las paredes y se distribuyese por el cuerpo como se distribuía por el cuerpo del redentor en la iconografía de la época, muy abundante en los espacios comunitarios del convento, en la iglesia, y en las celdas de las monjas. Solían practicar sus ejercicios vestidas de manera especial, a veces con enaguas de cerdas, cubiertas por un saco y usando una soga por cinturón y totalmente descalzas; se ejercitaban también en la humildad cuando besaban los pies y recibían bofetadas de las otras monjas; cuando renunciaban a parte de su comida, o comían en el suelo con una venda en los ojos o una mordaza en la boca. Exagerando los preceptos fijados por Loyola, las disciplinas se aplicaban con cuerdas muy gruesas y esmero singular –sobre las espaldas desnudas de las víctimas– que alternativamente ejercían también el cargo de verdugos.[12]

El padecer, continua Oviedo, es connatural en el hombre como el vuelo es natural en las aves. El mundo es un valle de lágrimas, y a él se llega a padecer. El sufrimiento es una carga que llevamos, ordenada por Dios para lavar la mancha del pecado original, de la misma manera que Cristo cargó la cruz para salvarnos de ese pecado. Pero el gesto de Cristo sólo es válido si se reproduce universal y sistemáticamente; no basta con padecer, una simple acción vulgar y cotidiana, casi genética, y tan natural como el caminar o el hablar. Por ello, los métodos que San Ignacio concebía como ejercicios solitarios fueron modificándose hasta alcanzar refinamientos muy variados y representaciones colectivas, como las que aún se ofician regularmente en el convento de Atotonilco en Guanajuato, para citar sólo uno de los ejemplos más relevantes en México.[13] En la invención de nuevas torturas y la intensificación del dolor para convertirlo en un padecer extraordinario consistía la originalidad de cada monja "edificada", y sólo de esa manera su vida era ejemplar. La madre María del Sacramento, además de llevar perpetuamente una pesada cruz sobre los hombros, se colocaba "una medalla del Santísimo Sacramento que hacía lumbre, tenía sellado el pecho, corazón y brazos, porque era amantísima de este divino Señor Sacramento y decía era su esclava".[14] El único padecer admirable, ejemplar, es el ejercitado en plena conciencia y con absoluta regularidad. Gracias a ese método aplicado estrictamente, se puede alcanzar la perfección en esta vida, como ahora se puede estar en perfectas condiciones físicas si se siguen al pie de la letra las instrucciones de Jane Fonda o de Cher o siguiendo las dietas reguladas por los *weight watchers*. El padecer natural, genético, no es meritorio, sólo es "prodigioso, admirable [...el padecer] que se propasa excediendo los límites de la medida, peso y número ordinario" (p. 3). Tal fue, agrega Oviedo, el padecer de Job, el de Cristo, y el de Sor María de los Dolores. Así colocada, la monja forma parte de una serie muy singular, la de una trinidad. ¿Cómo podría justificarse dentro de la ardiente misoginia jesuita esa inserción?

*Vivía clavada en una cruz intolerable*

El espíritu barroco se amolda a una imaginación que funciona de manera extraña, por lo menos para nosotros ahora. La imaginación tiene acceso a un número limitado de imágenes, cuidadosamente seleccionadas. La fijación de imágenes lícitas y la existencia de imágenes ilícitas queda definida de acuerdo a una encarnizada clasificación y a una constante prédica sacerdotal, seguida de una posterior teatralización. Una técnica sanguinaria se encarga de disciplinar al cuerpo y a la mente. Es conveniente reiterar que los ejercicios son más bien corporales que espirituales; y el cuerpo se encarga de transmitir también al espíritu varios modelos de pensamiento y de imágenes. El ejercicio corporal exarcebado provoca visiones, éxtasis. Las visiones entran en el cauce reducido de una codificación estrechamente vigilada por el confesor. Si estamos ante una monja, este aspecto es esencial:

> ... aunque las visiones, revelaciones, etc. sean del demonio, se enderezan y logran con ejercicio y mejora de heroicas virtudes si se gobiernan por obediencia ciega y sincera de sus Superiores y Padres espirituales, amonesta el Padre Núñez de Miranda en un sermón pronunciado durante la profesión de una monja del Convento de San Lorenzo.[15]

La figura central en los ejercicios es la figura de Cristo crucificado y el deseo más vehemente de los creyentes es imitarlo. Es extraño que las monjas no quisiesen parecerse a la Virgen María, y lo anoto sin detenerme demasiado en ello, aunque creo que es necesario analizarlo. Quizá se deba al hecho de que las monjas se convertían, al profesar, en esposas de Cristo y los esponsales celebrados reiteraban la unión de una mujer viva con un esposo muerto. Si adquiría la máxima categoría al profesar, la monja llevaba un velo negro, símbolo de su calidad de viuda:

> Profesar una señora religiosa, subraya Núñez, es desposarse reina con Cristo; y desposarse reina es entregarse toda, por entero, con todo su ser, cuerpo y alma, a la voluntad de su esposo. Es quedar toda de Cristo, con todas sus dependencias, quereres y haberes, y en nada suya, ni aun en el albedrío, decreta Núñez de Miranda (*Op. cit.* fol. 2 r)...
>
> La primera ceremonia es llevar toda la comunidad, con luces en las manos, a la profesa, como si la acompañaran de entierro, muerta de amor, que se va por su pie a la sepultura, hasta el coro bajo, donde antes de llegar al comulgatorio, que es el tálamo de sus bodas, postrado a lo (de) difunta, le dicen las letanías de agonizantes (fols. 6 v y 7 r).

Casada con Cristo, la monja tiene que recrearlo en su propio cuerpo: la imitación es por ello concreta, se busca reproducir con escasas variantes sus sufrimientos, recorridos con delectación una y otra vez; tanto monjas como monjes se penitencian por igual, pero las mujeres tratan de trascender su inferior condición de seres húmedos y viscosos mediante los refinamientos más sofisticados para acrisolar sus tormentos. En cierta forma la imitación de Cristo toma prestada la imagen de Narciso. Cristo es el modelo; el creyente lo copia de la manera más exacta que puede. Esa copia se logra mediante un esfuerzo físico desigual: aspira a transformar el propio cuerpo y a hacer de la carne (no de los huesos, recuérdese) un material semejante al usado por los artistas cuando ejercen su oficio utilizando para hacerlo distintas materias primas. En los aspirantes a santos, la materia prima es el cuerpo. El cuerpo se conforma a modelos preestablecidos, aquellos que ha definido el arte postridentino, llamado también barroco.

Las monjas tiene un impedimento de entrada, su cuerpo es diferente al de Cristo; imitar su sufrimiento implica forzosamente un esfuerzo mayor que el de los hombres; exige una revisión total de la corporeidad. En el discurso edificante femenino puede discernirse un método riguroso destinado a cancelar la diferencia sexual, hacer del cuerpo algo indiferente. La mujer que aspira a la edificación debe apoyarse en espejos de santidad. Cristo, por ser mortal, estaba, como los hombres, dividido, en una parte superior, "espiritual", unida a la Divinidad, pero igualmente tenía una parte inferior, sujeta a las asechanzas del demonio y, por tanto, a los pecados de la carne. María Inés de los Dolores, atada "al potro de tormento de su enfermedad" y reducida al espacio de su cama, de la que no podía moverse, es decir, al estar clavada como Cristo a una cruz, era capaz de resentir, como el redentor, "dureza, sequedad, tinieblas y amarguras, sin que ella misma pudiese declarar, como se componían efectos tan encontrados, luz y tinieblas, suavidades y amarguras, gozos y desamparos" (folio 8 v).

La única explicación posible puede encontrarse en un ejercicio diariamente practicado. Práctica constante, reiterada, y semejante a la de un artesano. La aplicación de la monja es singular y recibe por ello un premio. Durante toda la vida ha deseado ser como Jesús, su vida se ha dedicado íntegra a ese objetivo. Su largo padecer sólo termina cuando logra esculpir en su corporeidad la imagen acabada, prístina de la crucifixión.

> Y según el juicio que hicieron las personas que la asistían, quiso el Señor en este día hacerla participante de los tormentos de su Pasión. Las cuerdas de todo punto se le estiraron y comenzó a padecer atrocísimos dolores en los pies, manos y costados; y los de éste eran tan vehementes y tan vivos que la hacían toda estremecer. Y dispuso Dios que no entendiéndosele lo demás que decía por el impedimento de las llagas de la lengua y la garganta, le percibieron fácilmente lo que de estos dolores explicaba. Cuando se quejó de los pies, registrándoselos para darle con un poco de aceite de almendras algún alivio, se los hallaron con admiración uno sobre otro, en la misma forma en que los tienen de ordinario las efigies de Jesús crucificado (Oviedo, fol.17 r y 18 v).

*La edificación del discurso y el canon de construcción*

He explicado someramente cómo se produce la destrucción del cuerpo femenino para acoplarlo al de Cristo, en un intento por imitar con perfección corpórea su pasión. Existe sin embargo una forma de reconstruir el cuerpo, o de transformarlo en materia prima para construir un edificio verbal: una vez muerta la aspirante a la perfección, se convierte en modelo; lo aprovecha el sacerdote para erigirla como ejemplo en un sermón que, si, a su vez, es ejemplar, se imprime después de haber circulado en cuadernos de mano. Ese es el caso específico, pero no excepcional, del sermón que me ocupa y que he tomado como modelo, y cuyo machote fue utilizado por varios sacerdotes de la época, entre ellos, el padre Núñez de Miranda, confesor de Sor Juana Inés de la Cruz y del Padre Oviedo, autor del sermón que analizo y de un escrito hagiográfico sobre su maestro.

Los discursos se yuxtaponen y se contaminan: la práctica, los métodos para alcanzar la perfección constituyen *el* tratado de la vida edificante narrada mediante innúmeras metáforas, profusión de alegorías e hipérboles, en fin, el clásico paradigma del lenguaje postridentino y la estricta organización de un canon de construcción.

El sermón mismo se edifica. A la teatralidad que la emisión del sermón barroco exige, es decir a la gestualización dramatizada que el sacerdote impone a su discurso, se añade la superposición literal de niveles que construyen una oficialidad y trazan un canon desde el momento mismo en que el texto se imprime. Una advertencia y varios permisos de impresión constituyen la obra negra. La advertencia es un curarse en salud del predicador, una piedra de toque, garantiza la solidez del futuro edificio asentada en un precepto que refuerza el discurso oficial de la iglesia y el reiterado voto de obediencia al Papa, característico de los jesuitas. Siguen dos páginas narrativas, los títulos del sermón, una exhibe el retrato de la monja cuya vida edificante ha disparado el discurso y la otra pormenoriza entre florituras los méritos del predicador y las cualidades de la muerta; especifica los nombres y títulos de los mecenas que patronizaron la impresión y dedica el texto a la comunidad de religiosas del convento de San Lorenzo, al tiempo que se avisa a los lectores que se tienen ya las licencias pertinentes para imprimirlo. Siguen luego y, por fin, esos permisos, los del Santo Oficio, los del clero secular, los del superior gobierno, es decir, la licencia del Virrey, y los cimientos se consolidan conveniente y finalmente con los permisos de la Compañía.

*El ejercicio de las virtudes y la esencia del padecer*

Al definirse los cimientos, puede edificarse en la escritura la vida ejemplar de Sor María Inés de los Dolores. Los textos reproducen como en espejo su propia literalidad y se duplican los niveles de metaforización. La vida de la monja se repite al imprimirse y su "continuo padecer" se reproduce literalmente: se logra este efecto gracias a la descripción que el autor de la dedicatoria, Andrés de San Miguel, hace del proceso mismo de impresión de un libro, y mediante un esquema de metaforización lo compara con la vida ejemplar de la monja, semejante al papel que pasa "por las apreturas de la prensa y los tormentos del tórculo".[16]

Este método rigurosamente elaborado y codificado se usa universalmente. Sor Juana Inés de la Cruz no es una excepción, pero en ella la metaforización barroca llega a su máximo: utiliza el sentido concreto, arquitectónico, de edificación, entre otros textos en su famoso *Neptuno Alegórico* donde reitera mediante una doble descripción, en prosa y en verso, la arquitectura efímera del arco que se erigió en la Plaza de Santo Domingo para recibir a los Marqueses de la Laguna, Virreyes de México. Aunque este texto de Sor Juana repite en la escritura una edificación literal, es importante tomarlo en cuenta dentro del contexto que analizo, ya que, bien lo sabemos, se produce un deslizamiento singular del lenguaje profano al lenguaje sagrado y viceversa. La literatura repite la realidad y al hacerlo la eterniza, como el sermón impreso retiene para la posteridad los momentos culminantes de la vida edificante. Se ha logrado un "doble exacto", el retrato escrito de las cosas construidas, un silogismo sin colores, si utilizamos en negativo la metáfora clásica de Sor Juana. La metaforización se antoja más evidente –en lo teológico– en la Carta Atenagórica: los errores del Padre Vieyra se ponen en evidencia utilizando un símil arquitectónico.[17] Ambos textos remiten en abismo a un más allá, a una alegoría que intenta descifrar otras verdades, las divinas.

Volviendo a la construcción del texto podría decirse enseguida que las intervenciones de los censores constituirían la fachada del sermón, los garigoleos del lenguaje imitarían las columnas salomónicas, los circunloquios y los revoloteos por la Historia Sagrada reproducirían los nichos con sus estatuas y las profusas decoraciones de las maravillosas portadas barrocas.

*La materia prima: el estoicismo*

La fortaleza con que la débil carne soporta la tortura se equipara a la de la piedra:

> Mármol que le quisieron los males para olvidado sepulcro, y le arrebató la paciencia para triunfante arco. Piedra que grabando en ella el cielo muchas enseñanzas nos muestra como las piedras de Mercurio el verdadero camino.

Exclama, maravillado y en el colmo de la hipérbole, el padre Andrés Montaño, autor de una aprobación, en su calidad de Canónigo más antiguo de la Catedral Metropolitana de la Ciudad de México; con este símil, la escritura nos remite obviamente a los distintos monumentos que con piedras se construyen: arcos, mausoleos, sepulcros, estelas; refuerza la capacidad admirable, duradera y diamantina de la mártir para soportar su cruz, su profundo estoicismo, además de subrayar la pertinencia de su nombre:

> Dice Santo Tomás y lo confirman los textos civiles, que los nombres han de convenir a las propiedades. Que admirablemente le conviene a la V.M. el renombre de Dolores. Cualquiera parte de su vida es un volumen de Dolores... No es la desgracia, dice San Agustín, padecer las desgracias, sino no estudiar en su dura escuela a merecer las dichas, y para conseguir esta utilísima sabiduría todos podemos tomar de este cuaderno la lección.

La última proyección metafórica de la piedra es la de ser la esencia misma del estoicismo. El terreno propicio donde puede construirse el cuerpo, para lo cual se nos han proporcionado los materiales. Me explico: La admirable paciencia con que la monja soporta sus dolores da cuenta de su martirio y nos representa mediante el símil de la piedra su entereza. Gracias a él hemos entrado en otro dominio plástico, el del cuerpo sujeto al padecer, reproductible, materia tratable que se puede alterar, dañar, pintar o esculpir. Se ha iniciado el cambio de escenario, hemos entrado al verdadero discurso edificante, el que inscribe y graba en el cuerpo del edificado, el otro cuerpo, el de Cristo.

*La viva semejanza*

Oviedo es ahora el dueño del discurso: inicia el sermón con una metáfora plástica y tradicional, la que pretende que hemos sido creados a imagen y semejanza de Dios:

> Aquel gran Dios, que al formar el primer gran hombre, intentó copiar en el una perfecta imagen de sí mismo, al reformar con el pincel de su omnipotente mano al pacientísimo Job, tiró a sacar una semejanza muy viva de Jesús crucificado. Por eso llaman los intérpretes a Job figura de Cristo...[18]

La tradicional idea de la creación como una imagen repetida: la de la semejanza con el creador, se concreta aquí mediante una imagen plástica, la de la reproducción pictórica, "la copia que hace Dios de sí mismo" y la consiguiente producción de dobles, modelos para armar y representar. El retrato es un espejo donde se refleja un Dios humanizado y sensible, cuyo cuerpo es doloroso:

> Cristo, original admirable de esta copia [...] padeció no como quiera, sino como hombre Dios, y por ello padeció a maravilla, padeció milagrosamente, pues siendo Dios hombre, y por ello Bienaventurado, cada tormento que padecía era un portento, era un milagro. Y... lo pudiera padecer de milagro, y a maravilla quien era copia de original tan valiente. Cristo no consumó en un instante su pasión prodigiosa, sino que con tormentos añadidos a tormentos le hizo ejemplar de un maravilloso padecer. Y queriendo sacar en Job la copia de sí mismo, una y otra vez como artífice diligente y cuidadoso, con tantas nuevas pinceladas, ¡cuántos dolores de nuevo le

> añadía! sacó perfecto a maravilla la imagen del sufrimiento (Oviedo, fol. 1).

Job es un modelo anterior a Cristo, lo prefigura; sus máximas cualidades son dos, soportar con gran paciencia su padecer y concentrar en su cuerpo todo el dolor. Su dolor es representable y la forma como se manifiesta constituye la historia de la edificación. La monja María de los Dolores será por consecuencia la tercera copia de la serie.

La vida edificante carece de densidad, está armada a base de momentos clave, figuras del relato, mediante los cuales se va haciendo el retrato; fuertes pinceladas captan la intensidad del parecido con su modelo. Cada momento crucial de la vida del mártir "excede la medida, el peso, la densidad" de la vida cotidiana y alcanza por ello lo admirable, se vuelve maravilla.[19] La hagiografía se inicia en el momento de la predestinación: Dios manda una señal cuando el biografiado es aún un niño, alrededor de los siete años, cuando "ya le raya la luz de la razón". En María Inés la señal es la ceguera, producto de una enfermedad y equivocación de los médicos pero interpretada por Oviedo como "una disposición admirable de Dios", un signo de la predestinación. Se procede a levantar un catálogo de enfermedades, distribuidas a lo largo de su vida mortal. Una epilepsia a los dieciséis años, agravada por males nefríticos y enfermedades digestivas, padecimientos propios de la mujer, amén de llagas, apostemas y alteraciones nerviosas. Cada una de las enfermedades va acendrando la copia de la divinidad y modela su retrato de acuerdo con otras copias divinas: su cuerpo es el teatro de los tormentos y reproduce varios esquemas de santificación, por ejemplo la de la parrilla de San Lorenzo. Las marcas que se inscriben en el cuerpo son las señas indelebles de la Pasión. Cada enfermedad es el síntoma de un milagro: la epilepsia impulsa su cuerpo hacia adelante gracias a un agente sobrenatural, el cuerpo se tuerce y se arquea, imita los retorcimientos de Cristo en la Cruz, pero basta un trago de agua bendita para restablecer su equilibrio natural. Por disposición divina su cuerpo debilitado por el ayuno y los continuos dolores se fortalece: Las "saetas que el Señor le clavaba, cuya violencia le chupaba, le bebía todo el espíritu y la sangre", dan cuenta de la presencia de Job como modelo paternalista que le enseña a soportar el sufrimiento, y su presencia, un poco obscena, hay que confesarlo, es vista como nutrición: leche y sangre espiritual que la alimentan:

> Esto es la grosura y substancia de la leche, y que con esa leche se alimentaba y nutría la sangre y espíritu de Job: como que las saetas con que el Señor le afligía fuesen maternos pechos, abundantes de leche que lo sustentaban... Pues si los tormentos con que Dios aflige a Job son veneno que mata, ¿cómo son pechos que vivifican? Si chupan y agotan la sangre y consiguientemente acaban con la vida, ¿cómo son leche substancial que la fomentan? Porque eso tienen por ser tormentos no naturales y ordinarios, sino admirables y maravillosos... Los tormentos naturales y ordinarios desflaquecen; los admirables y maravillosos dan más fuerzas... (Oviedo, fol. 6).

Su paciencia infinita es ejercitada con la oración y la meditación: "su materia ordinaria era la Vida, Pasión y Muerte de nuestro Redentor, a la que se aplicaba con tal estudio que parece la traía *estampada* en su corazón"(Oviedo, fol. 12). El exceso de males no la hace entonces menos fuerte sino que le da una admirable resistencia, la de la piedra, para soportar el sufrimiento. En su cuerpo se libran batallas campales, los demonios la asaltan desde dentro con visiones, pero su pureza se mantiene incólume, es una estatua de sí misma, a pesar de los movimientos espasmódicos a los que la somete la epilepsia: es más, podría decirse –si continúo en la línea que he venido proponiendo– que la vida edificante se ordena a manera de una galería de estampas o se graba en relieves enmarcados, y actúa como uno de esos predicadores mudos que rodean e iluminan al creyente, colocados en las puertas de la iglesia, o en sitios estratégicos del recinto sagrado. Sor María de los Dolores se petrifica en una estampa, la que representa cada vez mejor su afán por "conformarse más y mejor con su Esposo Jesús Crucificado" (Oviedo, fol. 17).

El cuerpo de la asceta, así marcado, se transforma en imagen viviente, paradójicamente casi estática, del Redentor,

> La mano derecha no sólo se le cerró apretadísimamente, firmando con los dedos la señal de la Cruz, sino que se le quebró por la muñeca, llegándole a juntar y pegar el puño cerrado de la mano con la canilla del brazo... y lo más prodigioso era que con dolores tan acerbos y terribles en todos los dos años y cuatro meses permaneció tan entera y cabal en el juicio, tan libre en la parte racional como si estuviera del todo sana y buena.

Su pasión corporal y anímica es de tiempo completa: ha vivido para modelar su cuerpo en imagen y semejanza del Salvador pero se ha quedado en una sola figura, la que lo inmortaliza clavado en la cruz. La gran distancia que existe entre ella y Cristo –parece insinuar el Padre Oviedo– se acorta con su padecer y, sobre todo, con su vida, esfuerzo de perfección para imprimir una estampa, o para darle a su ima-

imagen la consistencia alucinante y sanguinolenta de un Cristo de caña. Cuando muere, Dios le concede un último milagro: una niña de cuatro años, ...decide morir para acompañarla en su tránsito hacia lo celestial. A los cuatro días "naturales", especifica Oviedo, la pequeña vuela hacia el Cielo para sentarse junto con su madrina y el Salvador en los jardines del Paraíso, convertidos los tres en una santísima y casi sacrílega Trinidad. Oviedo advierte, sentencioso, "La esfera de un sermón" no permite abundar sobre datos específicos de la vida y sólo ha escogido algunos para la común edificación. De esta manera todos estamos incluidos en el edificio, formamos parte de la sacralidad instaurada en la predicación y ocupando un lugar dentro del recinto dedicado al Señor. La letra impresa sella la obra. El edificio entero, perfectamente concluido, está ante nosotros: el cuerpo mortificado de la monja ha sido la materia prima necesaria para construirlo. ¿Existe mayor prodigio?

VIII

# DE NARCISO A NARCISO O DE TIRSO A SOR JUANA: *EL VERGONZOSO EN PALACIO* Y *LOS EMPEÑOS DE UNA CASA**

## *El arquetipo*

No existe mayor tautología que la del amor platónico y, por extensión, la que se produce en una de sus modalidades extremas, el narcisismo. El amor platónico se contenta con la contemplación, reside en los ojos de adentro, los de la memoria, en ellos vive de los traslados, de los trasuntos. En él se ama sólo por amar, en postración ante el amado, como se postra ante la imagen de la Virgen quien la adora; así el amante ama a lo sagrado.

El amor platónico es el antecedente del amor místico. En la novela pastoril se maneja un subterfugio de amor a lo divino: la imposibilidad de ser correspondido convierte al amante en un ser contemplativo; en el drama barroco se produce, gracias a Calderón, la tragedia de Narciso, trasladada a lo pastoril; allí se da cuenta del máximo efecto de la tautología: el encendido amor por el reflejo inalcanzable de uno mismo, cuya única solución es la muerte, en la tragedia, o el juego absoluto del azar, las apariencias o las correspondencias en la comedia.

*Este texto fue escrito para el Primer Congreso de la Asociación Internacional de Teatro Español y Novohispano de los Siglos de Oro, celebrado en Ciudad Juárez, Chih., México, del 18 al 21 de marzo de 1992.

El amor platónico se postula de varias maneras en los versos de Sor Juana; la Fineza, personaje del Sainete Segundo de *Los empeños de una casa*, lo expresa así, "...En lo fino, lo atento, / en lo humilde, en lo obsequioso, / en el cuidado, el desvelo, / y en amar por sólo amar (p. 69)".[1] En *El Vergonzoso en palacio* de Tirso[2] se inserta un doble enredo amoroso, que baraja conceptos tanto de origen platónico como aristotélico: *a*) el que enfrenta a Magdalena con el fingido pastor Mireno, cuya unión se retarda por la timidez, la reticencia, la dificultad que tiene éste para expresar su amor, o, para decirlo con mayor propiedad, representa al enamorado a quien le falta lengua ("aunque la lengua sea muda..." p. 478); y, *b*) el de Antonio y Serafina, obstaculizado por ella, capaz de amar sólo a un trasunto de sí misma –una copia semejante a aquella que de sí mismo viera Narciso reflejada en las aguas del estanque–, en realidad un traslado de su propia imagen, en vestido de hombre, su retrato, mandado a pintar por Antonio, su enamorado. Por su parte, Doña Leonor y Don Carlos en *Los Empeños* se aman porque en ambos se cumple, completa, definida, la teoría de las correspondencias ("Tan precisa es la apetencia / que a ser amados tenemos, / Que aún sabiendo que no sirve, / Nunca dejarla sabemos" (*Romance,* t. I. p. 166). Leonor desprecia a todos sus enamorados cuando no le son semejantes y ama a Carlos cuando lo encuentra porque es su doble a lo masculino, el complemento de la figura andrógina, retratada por Platón en el *Banquete*; lo declara así Leonor cuando, en un debate instituido por su rival, Doña Ana, en casa de su perseguidor Don Pedro, define lo que para ella es la mayor pena de amor:"...he imaginado / que el carecer de lo amado / en amor correspondido" (t. IV. p. 94).

*El retrato*

El narcisismo exige para manifestarse una doble imagen, la original y aquella desdoblada que lo representa, el reflejo. El reflejo es un trasunto del sujeto u objeto reflejado, o "copia o traslado que se saca del original", según leemos en el *Diccionario de la Real Academia*. La copia puede ser simplemente el reflejo representado en un espejo o sobre algo que cumpla con ese mismo papel, por ejemplo el estanque mítico de Narciso, utilizado de manera muy especial por Calderón en su *Eco y Narciso*, y por Sor Juana en su *Divino Narciso*. En cambio, en las dos obras que analizo, el trasunto lo da el retrato, objeto muy frecuentado en la poesía y el teatro de los Siglos de Oro.[3] Y ese retrato reviste dos de las formas que, dentro de los viejos modelos preceptivos, la antigua retórica le daba a la descripción, figura de pensamiento, que en este caso "habla(n) a la imaginación" y es clasificada como una de las figuras pintorescas; dos variantes de la descripción vienen a insertarse aquí con propiedad, la *prosopografía* que se comete cuando se describen "las partes exteriores de un ser viviente" y la *etopeya,* cuando "se retrata a alguien moralmente".[4]

Ambas figuras descriptivas se utilizan en las comedias que analizo. Se esboza una prosopografía cuando Antonio habla "de las partes de su amada" y las incorpora a un retrato físico aunque metafóricamente dé cuenta de una belleza ideal, anterior a la mirada, acuñada por la tradición y sancionada por el "mundo": "Por la vista el alma bebe / llamas de amor entre nieve / por el vaso de cristal / de su divina blancura: / la fama ha quedado corta / en su alabanza" (p. 454). En esa descripción física va implícita, como en el amor platónico, una imagen mental, arquetípica, que determina que la belleza vaya ligada a la luz y a la blancura, imagen de la que es imposible deslindar una belleza individual. Magdalena, la hermana mayor de Serafina, alabada por la fama, es otra Clicie..." si el sol la sale a mirar (p. 453)", y sólo deducimos que su resplandor es menos potente para el enamorado porque a Antonio lo hiere el que emana de la belleza de Serafina y no el que emite Magdalena. De esta forma, el retrato hablado es pintado por "la lengua" –la descripción o pintura poética– que se apoya en "la fama" o en "el vulgo", es decir en el retrato que modelan "las lenguas". El retrato, si pintado por la lengua, es un producto de la mente; para hacerlo visible, corpóreo, se debe acudir, como dice Doña Juana, la cómplice y prima de Don Antonio, a otro tipo de instrumento: el pincel, "...Ahora bien, primo, / en esto puedes ver lo que te quiero./ *Busca un pintor sin lengua*, y no malparas; que según los antojos diferentes, / que tenéis los que andáis enamorados, / sospecho que para mí que andáis preñados" (p. 464). La imagen exterior, aquella en quien parece coincidir el arquetipo, cristaliza en una efigie modelada por un verdadero pintor, el que maneja el pincel, y por ello retrata "sin la lengua" (p. 464); también de allí el símil ginecológico de Juana: sólo un objeto físico, el retrato, puede reproducir con trazos concretos, palpables, perceptibles, corpóreos, con densidad y volumen, el *borrador* interior, boceto frágil, colectivo, especie de feto aún informe. La descripción, que en suma es un retrato, no puede ser aquí una figura de pensamiento simple; participa simultáneamente de la prosopografía o retrato físico, y de la etopeya, la descripción moral; en su confección se decantan varios modelos estereotípicos cuyo resultado no es una imagen a la manera realista sino una imagen altamente metaforizada, imagen anterior reconstruida por el entendimiento y la memoria, y por ello mismo compuesto extraño:

> Los colores y matices / son especie del objeto / que los ojos que le miran / al sentido común dan; / Que es obrador donde están / cosas que el ingenio admiran, / *tan solamente en bosquejo,* / hasta que con luz distinta / las ilumina y las pinta / el entendimiento, espejo / que a todos da claridad. / Pintadas las pone en venta;/ y para esto las presenta / a la reina voluntad, / mujer de buen gusto y voto, / que ama el bien perpetuamente, / verdadero o aparente, / como *no sea bien ignoto*; / *que lo que no es conocido, / nunca por ella es amado* (p. 466).

Es imposible amar entonces aquello que se desconoce. El alma lleva en su interior un borrador, un bosquejo, del amado. Por eso la inquietud no se aplaca, vuelve a manifestarse en una serie de comparaciones, de semejanzas, de analogías que hacen visible una significación polimorfa, obstinada, en la que el entendimiento es "un naipe", hermosa metáfora de Tirso, que su personaje compara con una "...tabla rasa / a mil pinturas sujeto" (p. 466) y definido, según el dramaturgo (y la época), por Aristóteles. Una imagen estampada en el alma previamente pero sujeta a variaciones, a juegos de azar, a escaramuzas, a mudanzas de las potencias del alma, entre ellas la voluntad, "sólo espíritu", librada a la concreción del retrato construido mediante un objeto material, el pincel, cuyo resultado es contemplado por "la vista, que es corporal" (p. 467).

¿Qué quiero decir con todo esto? o, más bien, ¿qué entiendo de este enredo que Tirso plantea al subrayar la incapacidad que tiene Serafina de amar y al hacerla víctima de su propia imagen? El amor ciego se enamora a través de la vista, sólo si lo que ve coincide con la imagen ideal de la belleza que se trae dentro, sería "un engaño colorido", como diría Sor Juana o, para subrayarlo con otra metáfora suya, "un cauteloso engaño del sentido". ¿No lo expresan así estos bellos versos de Tirso, dichos por Antonio cuando le explica al pintor que antes de ver el retrato hecho con el pincel, él ya tiene el suyo propio, fabricado por su mente?

> Traído / de la pintura el caudal /, todos los lienzos descoge / y entre ellos compra y escoge, / una vez bien y otras mal: / pónele el marco de amor, / y como en verle se huelga, / en la memoria le cuelga / que es su camarín mayor. / Del mismo modo miré / de mi doña Serafina / la hermosura peregrina; / *tomé el pincel, bosquejé, / acabó el entendimiento / de retratar su beldad, /compróle la voluntad, guarneciόle el pensamiento / que a la memoria le trajo*, / y viendo cuán bien salió / luego el pintor escribió: / amor me fecit abajo. / ¿Ves cómo pinta quien ama? (p. 467).

El amor se engendra en la imagen interior, en el retrato que llevamos dentro, bosquejo informe modelado por la fama y definido por el entendimiento. Basta encontrar a alguien cuyas "partes" (según el vocabulario barroco) coincidan con el arquetipo interior para enamorarse con locura, sin remisión: "Con razón se llama amor / enfermedad y locura;" (p. 466).

*Hágate amor Narciso*

Antonio, embelesado, declara su amor a Serafina quien lo desaira. Furioso, el enamorado arroja a los pies de la ingrata su retrato y dice:

> Pues que del paraíso / de tu vista destierras mi ventura, / hágate amor Narciso, / y de tu misma imagen y hermosura / de suerte te enamores, que como lloro, sin remedio llores. (p. 484).

Aunque más corpóreo que la imagen, el retrato mantiene su calidad de reflejo y el error máximo del narcisista, en este caso, el de Serafina, es ignorarlo. Al "alzar" el retrato, Serafina cae en la trampa que le ha tendido Antonio y, siguiendo las convenciones clásicas del amor-pasión, del *amour fou*, queda enceguecida de amor:

> ...¡Un retrato! / (Álzale.) / Es de un hombre, y me parece / que me parece de modo, / que es mi semejanza en todo. / Cuanto el espejo me ofrece, / miro aquí: como en cristal / bruñido mi imagen propia / aquí la pintura copia / y un hombre es su original (p. 484).

Tirso maneja estos reflejos en varios niveles. En la cita anterior ha hecho coincidir en una misma metáfora los diversos objetos de Narciso, el espejo, el estanque, el retrato. Y en las acciones dramáticas ejerce varios desdoblamientos, los cuales, gracias al juego de las apariencias características de la comedia de enredo, hacen dialogar consigo mismos a los principales personajes del drama: primero es Serafina la que desempeña, vestida de hombre, y frente a unos espías –Antonio y el pintor–, el papel de varios personajes de una comedia intitulada por ella *La portuguesa cruel*, que a la vez la representa, como muy bien acota Doña Juana. Más tarde es Magdalena quien, desesperada ante la cortedad –vergüenza– de su amante finge que sueña y dialoga en voz alta con Mireno, donde le declara su amor, y éste a su vez, despierto, cree contemplar su sueño, el de un pastor trasvestido de galán que ha recobrado su estirpe cortesana. Por obra y magia de su amor, Antonio dialoga en doble guisa con su enemiga Serafina, quien cree recuperar, al oír su voz, otro reflejo –un eco–, el cuerpo del otro, en realidad, su propio cuerpo vestido de hombre. Tarso, el pastor, oculto entre los árboles, en espera de Mireno, y testigo involuntario de esta acción en el jardín, la sintetiza: "¡Válgate el diablo¡ / Sólo un hombre es, vive Dios, / y parece que son dos" (p. 491).

*El autorretrato*

Sor Juana maneja de manera literal el retrato hablado. Perdida en su propio enredo, Doña Leonor cae en casa de sus enemigos, al borde del deshonor; Doña Ana la recibe de mal modo y ella se ve obligada, contrariando las leyes del decoro, a explicar su situación y al hacerlo bosqueja su retrato. La descripción física se descarta: "Decirte que nací hermosa / presumo que es excusado, / pues lo atestiguan tus ojos..." (p. 36). La mirada directa comprueba su belleza y no es necesario describirla ni siquiera con las metáforas convencionales, dato curioso en una autora que cuenta dentro de su obra con varias composiciones líricas de retratos femeninos.[5] Al negarse a hacerlo y dejar al espectador y al otro actor la tarea de advertir esa belleza específica, Sor Juana hace una crítica tácita de este fenómeno, el narcisismo.[6] El retrato es moral, conforma, en otras palabras, una etopeya, una larga descripción que pasa por autobiográfica y lo es porque da cuenta de manera simultánea del personaje Leonor, y de la propia Sor Juana.[7] La larga historia se justifica utilizando los procedimientos de un debate judicial, procedimiento que ella repite varias veces en esta obra, en los Sainetes especialmente y, luego, como ya lo mencioné más arriba, dentro de un torneo que organizan para distraerla Don Pedro y Doña Ana, torneo que se maneja como teatro dentro del teatro. Leonor es Sor Juana, pero al hablar de sí, propone una distancia para juzgar con acierto su belleza anímica y su sabiduría:

> Incliname a los estudios / desde mis primeros años, / con tan ardientes desvelos, / con tan ansiados cuidados, / que reduje a tiempo breve / fatigas de mucho espacio. / Conmuté el tiempo, industriosa, / a lo intenso del trabajo, / de modo que en breve tiempo / era el admirable blanco / de todas las atenciones, / de tal modo, que llegaron / a venerar como infuso / lo que fue adquirido lauro" (p. 37).

Su hermosura es alabada universalmente y proviene, en parte, del "vulgo": "Queréis exponer mis menguas / al juicio de las lenguas, / y a la opinión de las bocas?" (p. 456), exclama asustada Magdalena, al enamorarse de un hombre que, en apariencia, se encuentra debajo de su condición social. Como Tirso, Sor Juana condena al vulgo ("Era de mi patria toda / el objeto venerado / de aquellas adoraciones / que *forma el común aplauso*" (p. 37), pero lo hace con una intención de realismo cuando se refiere a sí misma, para rechazar con este procedimiento, aunque lo acepte al facturar los enredos, el disfraz clásico de la comedia que encubre los deseos y la realidad en situaciones figuradas que llegan a su objeto de manera elíptica. Su talento no es "infuso", es decir, divino, sino producto de su propia industria y de sus desvelos. Con ello, reafirma el carácter autobiográfico de su retrato frente a la tendencia hagiográfica presente en la construcción que "el mundo" hace con los "objeto(s) venerado(s)", sobre todo si se trata de una monja. Bien puede comprobarse con leer sus múltiples textos en donde defiende su capacidad de actuar como ser racional ("...¿No es forma / racional la que me anima?", Romance 42, t. I. p. 120) o su talento innato como poeta ("porque a mí con la llaneza / me suele tratar Apolo" Romance 23, t. I, p. 68), cuidándose muy bien de discernir, –por ello es *discreta*–[8] el lugar que le corresponde en la jerarquía social y artística de su tiempo. Incluyo unos versos que reiteran lo que llevo dicho:

> ¡Oh cuántas veces, oh cuántas, / entre las ondas de tantos / no merecidos loores, / elogios mal empleados; / Oh cuántas, encandilada / en tanto golfo de rayos, / o hubiera muerto Faetonte / o Narciso peligrado, / a no tener en mí misma / remedio tan a la mano, / como conocerme, siendo / lo que los pies para el pavo.[9]

El autorretrato de Sor Juana contrasta con el narcisismo implícito en Serafina y el platonismo declarado de Antonio. En el monólogo de Leonor es posible descubrir una autocrítica, y la verificación de que el narcisismo suele ser el fruto de una admiración desmesurada. La "Fama parlera" la convierte en "deidad" y ella, "entre aplausos... con la atención zozobrando / entre tanta muchedumbre, / sin hallar seguro blanco, / no acertaba a amar a alguno, / viéndome amada de tantos..." (p. 38). Como la princesa del cuento o como las hijas del Duque de Avero en *El vergonzoso*, Leonor se ve obligada a amar a quien se parece a ella porque lleva troquelada como en cera su propia imagen, engendro construido a retazos por el dictamen del vulgo y por la imagen arquetípica, a la que, por otra parte, ella suele manejar de acuerdo con la convención, como puede comprobarse en varias instancias de *Los Empeños*, por ejemplo en el homenaje tributado a la Condesa de Paredes en la "Letra por Bellísimo Narciso" ...donde echa mano de las metáforas convencionales: "Bellísima María / a cuyo Sol radiante, / del otro Sol se ocultan / los rayos materiales; ..." (p. 63).[10] Es obvio aquí que este retrato es de la misma genealogía que el utilizado por Antonio para describir a Serafina, retrato a lo profano, pero, en sus metáforas, idéntico a los que se le dedicaban a la Virgen. En toda la obra de Sor Juana puede advertirse un conocimiento notable de las formas literarias y la conceptualización de su época; penetra, con gran finura y honda percepción en el discurso oficial, lo hace suyo. Pero con esa misma hondura y con esa misma gracia suele trastrocarlo. Un ejemplo evidente es el que acabo de analizar.

Cuando con premeditación Sor Juana omite la descripción física de su personaje Leonor, reitera la importancia que tiene para ella la belleza del entendimiento, como literalmente lo dice, por ejemplo en este soneto:

> En perseguirme, Mundo ¿qué interesas? / ¿En qué te ofendo, cuando sólo intento / poner bellezas en mi entendimiento / y no mi entendimiento en las bellezas? / Yo no estimo tesoros ni riquezas; / y así, siempre me causa más contento / poner riquezas en mi pensamiento / que no mi pensamiento en las riquezas (Soneto 146. vol. 1, p. 278).

Aceptar de entrada que es bella, sin verbalizar la descripción de su belleza, es reiterar que lo que a ella le interesa es el conocimiento y ensalzar el tipo de mujer que representa Leonor, de la cual sólo puede enamorarse Carlos. Los demás se enamoran de la vista, como Antonio que, al oír discutir a Serafina con su enamorado, el Conde de Estremoz, exclama asombrado: "Prima, para ser tan blanca, / notablemente es discreta. / ¡Qué agudamente responde!" (p. 454). Amar a una mujer depende sobre todo de su inserción en el ideal de belleza física propuesta por el arquetipo. Que sea inteligente, además de bella, causa el colmo del asombro: lo prueba el verso recién citado de Tirso y muchos otros, por ejemplo los que le dedicaron a Sor Juana. La inteligencia sobra o parece excesiva en una mujer: "Leonor –dice Ana–, tu ingenio y tu cara / el uno al otro se malogra, / que quien es tan entendida / es lástima que sea hermosa" (p. 83). Al subrayar su biografía moral, su etopeya, Sor Juana resalta el papel al que quiere reducirla el mundo y, en la comedia, la diferencia esencial que separa a Don Carlos y a Leonor del resto de los personajes. Puestos en guardia el lector, el espectador, el autor, por una omisión señalada, la de la propia descripción, o mejor, al llamar la atención –mediante el silencio que rotula o subraya– acerca del narcisismo exterior, el de la simple belleza física, Sor Juana se adentra en su otro aspecto, quizá más peligroso, el de la soberbia que se engendra en la conciencia exagerada del propio valor. La mirada interior, enfrentada al espejo que factura el mundo, se deforma. ¿A quién amar sino al reflejo masculino de sí misma, edificado con los mismos ingredientes y matizado de igual forma que su propia imagen? Según el retrato hablado que, después del suyo propio, hace Leonor, Carlos es un dechado de perfecciones físicas y morales. Pide, como Antonio a su prima Juana "licencia para pintarlo" (p. 39), y a mi vez yo la pido para reproducir parte de los setenta y dos versos que Sor Juana le dedica. Principia con una imagen física tradicional, de la que también están ausentes los rasgos individuales de la persona descrita. La dibuja de acuerdo a las reglas de la belleza masculina, mucho menos frecuentada en esa época dentro del ámbito de la prosopografía:

> Era su rostro un enigma / compuesto de dos contrarios / que eran valor y hermosura ,/ tan felizmente hermanados, / que faltándole a lo hermoso / la parte de afeminado, / hallaba lo más perfecto / en lo que estaba más falto: / porque ajando las facciones / con un varonil desgarro, / no consintió a la hermosura / tener imperio asentado... (p. 40).

De esa descripción deducimos también la belleza de Leonor. Carlos es bello y esa beldad refleja la de su amada, pues ambos se rigen por la teoría de las correspondencias. Esta coquetería textual permite dibujar lo borrado expresamente por la narradora, y marca otro hecho fundamental: en ese traslado, en esa copia del natural, se ha tenido especial cuenta del decoro, manifestado en el "desgarro" que, al "ajar" las facciones del retratado, le concede una hermosura suficiente y evita al mismo tiempo cualquier sospecha sobre su virilidad. Esta nota de realismo se inscribe para subrayar de manera paralela aquella ausencia y aquel silencio ya anotados. Además, reinscribe algo fundamental, sólo dos seres fuera de lo común pueden corresponderse absolutamente y conservar simultáneamente su identidad y complementarse.

Notable contraste con Tirso, en quien las ambigüedades se marcan con delectación. ¿No las resume acaso Tarso cuando reprende a Mireno por callar?:

> ¿Qué aguardabas, pese a tal, / amante corto y avaro / (que ya te daré este nombre), / pues no te osas atrever? / ¿Esperas que la mujer / haga el oficio del hombre? / ¿En qué especie de animales / no es la hembra festejada, / perseguida y paseada, con amorosas señales? / A solicitalla empieza: / que lo demás es querer / el orden sabio romper / que puso naturaleza. / Habla; no pierdas por mudo / tal mujer y tal Estado (p. 477).

Tirso lo sabe, la cortedad y el narcisismo no pagan, pero esta nota de realidad se expresa por la boca del gracioso, personaje especialmente delineado para expresarla. En *Los empeños*, esa realidad, esa crítica las verbaliza el personaje principal.

No obstante, el narcisismo se ejerce. Carlos, ya lo he repetido hasta la saciedad, es semejante a Leonor, pero su semejanza se atenúa por las exigencias del decoro. No las respeta Serafina quien al contemplar su retrato recita este monológo:

> No en balde en tierra os echó (quién con vos ha sido ingrato; / que si es vuestro original / tan bello como está aquí / su traslado creed de mí / que no le quisiera mal. / Y a fe que le hubiera alcanzado / lo que muchos no han podido; / pues vivos no me han vencido, / y él me venciera pintado. / Mas aunque os haga favor, / no os espante la mudanza, /que siempre la semejanza ha sido causa de amor (p. 485).

La cercanía de Leonor y Carlos, su superioridad frente a los demás personajes se subraya de muchas y muy diversas maneras, para empezar en ese juego de retratos, luego, en los lances a los que el enredo los conmina. Carlos no acepta los rumores del vulgo y desmiente lo que ven sus ojos cuando parecen demostrar que, como las otras mujeres, Leonor se define por la mudanza, el capricho, la veleidad:

> Don Carlos: ¡Qué miro! ¡Amor me socorra! / ¡Leonor, Doña Ana y Don Pedro / son! ¿Ves cómo no fue cosa / de ilusión el que aquí estaba? Castaño: ¿Y de que esté no te enojas? / Don Carlos: No, hasta saber cómo vino; que si yo en la casa propia / estoy, sin estar culpado, / ¿cómo quieres que suponga / culpa en Leonor? Antes juzgo / que la fortuna piadosa / la condujo adonde estoy (p. 90).

Leonor pasa por los mismos sobresaltos. Tampoco acepta, al principio, como los demás personajes de ésta y muchas otras comedias, que su doble pueda actuar como actúan los otros y, cuando las apariencias acusan a Carlos, prefiere ir al convento y no casarse con Don Pedro.

*De la vida es un traslado...*

El más acabado reflejo, el más perfecto retrato es el teatro, afirma Tirso. ¿Cómo no hacer de él la piedra de toque de todo este edificio verbal? La metaforización se apoya en varias acepciones de la palabra *lengua*. Se desdobla como los personajes, al principio, en pluma y espada y organiza las acciones narrativas: Ruy Lorenzo, secretario del duque, falsifica una carta –usa la *lengua-pluma*– para inculpar al violador de su hermana; el Duque de Avero saca la espada ("de lengua ha de servir" (p. 440). para defenderse del Conde quien lo inculpa, a pesar de que quiere ser su yerno y casarse con Serafina. Se usa la palabra *lengua* como sinécdoque, recurso que le permite a Tirso construir el texto, ese texto proferido en escena por "las lenguas de la boca" y escrito por su autor con las "lenguas de la mano". Así se manifiestan los diversos discursos, a los que se añade el del pincel, tantas veces señalado. Por su parte hablan también los cuerpos y sus vestidos, y Mireno, trasvestido de secretario de Magdalena es empleado por ella para que... "Dándome algunas liciones, / más clara la letra haré" (p. 465). La timidez, el encogimiento de Mireno, remiten a una mudez, como ya lo decía arriba, a una falta de lengua, por lo que se le compara con una mujer, quien debe callar aquello que concierne a su honor. Este tipo de mudez corresponde también a la de la escritura del drama antes de su representación. Cuando Magdalena advierte que Mireno callará para siempre si ella no le presta su lengua, cumple con las funciones del hombre en esa época, o para decirlo mejor, al usar la lengua afirma su condición de dueño del discurso.

Aquí va implícita otra acepción de la palabra que si se dijera resultaría obscena; está verbalizada, sin embargo, en ese símil utilizado por Juana al que he denominado ginecológico. Para que la lengua de Mireno hable, Magdalena se trasviste mentalmente de hombre. Serafina admite esa función cuando, en triple reflejo, con traje de varón, representa ante Juana a un personaje masculino y, cuando el pintor, escondido con Antonio en el jardín, delinea su bosquejo, mientras los otros la observan. El retrato viene a constituir así otra de las posibles metaforizaciones de la palabra lengua, porque el pincel la sustituye.

La lengua usada en el teatro, acoplada a la pluma que escribe la obra, se convierte a la vez en un juego de espejos, efecto característico del teatro. Las representaciones que en la comedia producen el efecto del teatro dentro del teatro, le permiten a Tirso definir lo que éste es para él. El teatro tiene el extraño poder de hacer que los personajes muestren en la actuación todos los repliegues que en la vida real el decoro prohíbe; de la misma manera, Sor Juana puede decir, a través del monólogo de Leonor, su idea de lo que debiera y pudiera ser una mujer dentro de su sociedad. La extraña función de la teatralidad permite desdoblar al sujeto que habla, le hace pronunciar varios discursos y asumir varias personalidades a la vez; el teatro es el instrumento ideal para señalar las ambigüedades y las rupturas del mundo. Pero más importante aún, el teatro es un reflejo de la vida, y a su manera, participa de la actividad narcisista y por ello enamora. ¿No lo resume así Serafina cuando vestida de hombre se pone a representar?

> ¿Qué fiesta o juego se halla, / que no le ofrezcan los versos? / En la comedia los ojos, / ¿no se deleitan y ven / mil cosas que hacen que estén / olvidados sus enojos? / La música, ¿no recrea / el oído, y el

> discreto / no gusta allí del conceto / y la traza que desea? Para el alegre, ¿no hay risa? / Para el triste, ¿no hay tristeza? / ¿Para el necio agudeza? / Allí el necio, ¿no se avisa? / El ignorante, ¿no sabe? / ¿No hay guerra para el valiente, / consejos para el prudente, / y autoridad para el grave? / ... ¿Quieres ver los epítetos / que a la comedia he hallado? / De la vida es un traslado, / sustento de los discretos, / dama del entendimiento, / de los sentidos banquete, / de los gustos ramillete, / esfera del pensamiento, / olvido de los agravios, / manjar de diversos precios, / que mata de hambre a los necios / y satisface a los sabios (pp. 467-468).

Esas escenas, esos espectáculos revelan, reflejan, pero también ocultan. La repetición y la diferencia están separadas por una franja mínima, ínfima diferencia inducida paradójicamente por la identidad. La repetición y la diferencia están tan estrechamente imbricadas una en la otra y se acercan con tal exactitud que suele ser difícil decidir, como les sucede a los personajes mismos, qué es lo verdadero. En esa tersa superficie donde radica el narcisismo, en esa zona evasiva y resbalosa donde se encuentra la imagen proyectada, cualquier profundidad aparece como algo puramente formal que juega dentro del relato el mismo juego de las apariencias, el juego de identidades y diferencias, repetidas en espejo y que, sin descansar, van de las palabras a las cosas, a las situaciones, a los géneros; al repetirse se pierden, para volver a encontrarse en ellas mismas, como lo indica de entrada y por su tautología la sinécdoque imantada a la palabra lengua.

La riqueza alcanzada por la polisemia de la palabra lengua en Tirso remite al reflejo narcisista y a la escritura. Por eso, la trama se inicia en un incidente caligráfico, la falsificación de una carta, una carta que enmienda la realidad porque pretende hacer justicia a una mujer burlada mediante un escrito: a manera de espejo copia los rasgos exactos de una caligrafía. Y quien lo hace es un secretario, quien, como el propio autor del drama, utiliza la escritura para crear un mundo, mundo perfecto que puede transformar la realidad desde la escena. El espejo lo reitera Tirso, cuando hace ingresar a Mireno como secretario de Magdalena y enseñarle a corregir sus borrones. La pluma que escribe, ya lo he reiterado, es otra forma de lengua y la escritura puede a su vez usarse para "enmendar los borrones" (p. 465) de la vida. Si a esto agrego el uso que en Tirso se da a la palabra borrador, la imagen queda completa. El alma lleva en ella, antes de encontrar al arquetipo, un borrador interior, que al contacto con la imagen exterior se delinea y se conforma, de manera semejante a la escritura del drama que le da forma a aquello que, en principio, es sólo un borrador. A esto parece referirse Antonio cuando lo rechaza Serafina, al asumir él su verdadera personalidad: "Borrad, alma el retrato / que en vos pinta amor..." (p. 484). El teatro puede hacer y deshacer cualquier tipo de entuerto, así sea el entuerto amoroso.

En Sor Juana se perfila también este ejercicio manejado por Tirso; en ella aparece a menudo en distintas composiciones de su vasta y proteica obra, y no sólo en el teatro. Prefiere valerse de la palabra *eco* para subrayar la confusión que provocan los reflejos y las apariencias, esas mudanzas de Fortuna, objetos del Acaso, productos quizá del Mérito y la Diligencia con que inicia su comedia y que hace decir al Mérito en la Loa que la precede, respecto a los otros "entes" (Acaso, Fortuna Y Diligencia):

> Atribuirlo a un tiempo a todas, / no es posible; pues confusas / sus cláusulas con las nuestras, / confunden lo que articulan. / Vamos juntando los ecos / que responden a cada una, / para formar un sentido / de tantas partes difusas (p. 11).

Sor Juana participa y discrepa al mismo tiempo de la visión de Tirso. Coinciden en una conciencia crítica de la realidad, que revela las trampas implícitas en el narcisismo y en la visión platónica, arquetípica del amor, aunque es cierto que asimismo la aceptan como la acepta el barroco, ese mundo "de pareceres tan varios"(Romance 2, t. I, p. 5). Tirso la enfrenta desde afuera, situado como Antonio y el pintor atrás de la valla que separa el jardín de los otros espacios de la comedia, donde Serafina también la representa. La posibilidad de mirar y de comentar en apartes o en juegos de teatro dentro del teatro, subraya esa conciencia crítica. Sor Juana utiliza obviamente esos recursos (¿cómo hubiera podido hacerlo de otra forma?), pero al desdoblar el narciso, al desenmascararlo teatralmente y convertir el retrato hablado de Leonor en autobiografía, inserta ese tono de realidad, esa conciencia crítica en el corazón mismo del drama. Lo subrayará de infinitas maneras dentro de este mismo, riquísimo drama, pero esas estratagemas ya son harina de otro costal.

## IX

## LAS FINEZAS DE SOR JUANA: LOA PARA *EL DIVINO NARCISO**

El tema central de las Loas que Sor Juana escribió para sus tres autos sacramentales gira alrededor del descubrimiento y la conquista de América, y en *El cetro de José* y *El divino Narciso* el problema específico es el de los sacrificios humanos, remedo diabólico, según la monja, de la sagrada eucaristía, preocupación que aparece formulada de esa misma manera en la obra de los primeros cronistas ("De cómo el Demonio ha procurado asemejarse a Dios en el modo de ...los Sacramentos", José de Acosta. "De lo cual se coligen dos cosas: o que hubo noticia... de nuestra sagrada religión en esta tierra, o que el maldito adversario el demonio las hacía contrahacer en su servicio oculto, haciéndose adorar y servir, contrahaciendo las católicas cirimonias de la cristiana religión", Diego Durán).[1]

Todo parece indicar que Sor Juana tuvo a la mano fuentes tardías sobre la Conquista de México: la obra de los cronistas fue prohibida en 1577 por Felipe II y sólo se imprimió a finales del siglo XIX. Es muy probable, entonces, como apunta en sus notas sobre *El divino Narciso*, el Padre Méndez Plancarte,[2] que varias de las ideas de esas

*Este texto, ahora corregido y aumentado, apareció en *Espectáculo, texto y fiesta*, UAM, México, 1990 (ed. por José Amezcua y Serafín González), pp. 67-75.

loas –las que se refieren al sacrificio humano y a la historia de la conquista misma– las haya tomado de la *Monarquía Indiana* de Torquemada, la única crónica autorizada que por entonces circulaba.[3] Sin embargo, como lo han comprobado diversos historiadores, Torquemada tomó muchos de sus datos, casi textuales, de la *Historia Eclesiástica Indiana* de Fray Jerónimo de Mendieta,[4] quien, a su vez, utilizó el material que le proporcionaba la obra de los primeros franciscanos, por ejemplo la de Fray Toribio Motolinía, Fray Andrés de Olmos y, obviamente, Bernardino de Sahagún, donde se hacía un trabajo etnológico de gran categoría y en donde se anotaban distintas versiones de las ceremonias indígenas.[5] Sabemos, además, que *El divino Narciso*, del cual existe una edición suelta en México, fue publicado después en Madrid en la segunda edición del primer tomo de las obras de Sor Juana (1691), en una época en que los misioneros proseguían en varias regiones de México la obra de catequización y de conquista.

Por ello sería útil examinar de cerca el procedimiento que jurídicamente llevó el nombre de Requerimiento y que, sintetizado admirablemente por Sor Juana en esta loa, es representado en la obra como preámbulo fundamental a la alegoría que explicará el sacramento de la Santa Eucaristía: Al llegar Cortés a México advierte de entrada la existencia de altares –"aras" les llama Sor Juana–, donde se celebraban los sacrificios humanos. Cortés, como reacción inmediata, arremetía contra los ídolos destruyéndolos y obligando a los indios a sustituirlos por una cruz o una imagen de la Virgen (acción que, sintetizada, se representa en la loa mencionada); Fray Bartolomé de Olmedo le recomendaba a Cortés actuar con prudencia. Bernal Díaz relata cómo en su avance hacia la Ciudad de México y en un pueblo donde trata de catequizar a los indígenas:

> Cortés nos dijo a los soldados que allí nos hallamos: "Paréceme señores que ya no podemos hacer otra cosa que se ponga una cruz" y respondió el padre fray Bartolomé de Olmedo: "Paréceme, señor, que en estos pueblos no es tiempo para dejarles cruz en su poder, porque son algo desvergonzados y sin temor, y como son vasallos de Moctezuma no la quemen o hagan alguna cosa mala; y esto que se les dijo basta hasta que tengan más conocimiento de nuestra Santa Fe", y así se quedó sin poner la cruz...[6]

Fray Bartolomé de las Casas, por su parte, opina igual, aunque su pensamiento vaya orientado hacia otro camino:

> Pero no fue aqueste el postrero disparate que en estas Indias cerca desta materia se ha hecho; poner cruces, induciendo a los indios a la reverencia dellas, si hay tiempo para ello, con significación alguna del fructo que pueden sacar dello si se lo pueden dar a entender, parece ser bien hacerse, pero no habiendo tiempo, ni lengua, ni sazón, cosa superflua e inútil parece, porque pueden pensar los indios que les dan algún ídolo de aquella figura que tienen por Dios los cristianos, y así lo harán idolatrar, adorando por Dios aquel palo...[7]

Derribar ídolos de sus altares, predicar contra la idolatría, substituir los ídolos por la cruz o imágenes de la Virgen o de Cristo son actos lícitos sólo en el caso de que los indígenas se hayan negado a aceptar el Requerimiento, procedimiento jurídico utilizado por los conquistadores y sancionado a partir de 1513, año probable en que se legitimó esta famosa ley del doctor Juan López de Palacios Rubios llevada consigo por el conquistador Pedrarias Dávila cuando se dirigía al Darién, justamente ese año.[8] Predicar la verdadera fe (explicarla, dársela a entender a los indígenas) es uno de los actos previos –ineludible– a la declaración de guerra. Ésta se convertirá en legítima o justa sólo en el caso de que los indígenas se nieguen a aceptar la verdadera fe, "explicada" en el texto del Requerimiento, leído por el conquistador en español, lengua incomprensible para los indígenas. Este procedimiento legal tranquilizó las conciencias regias y pontificias y permitió establecer un dominio con base en el derecho natural que exigía salvar a los indígenas contra sí mismos y los obligaba a renunciar a sus prácticas idolátricas y "horrendas", prácticas que eran, en México, reminiscentes de uno de los sacramentos cristianos más significativos, el de la Eucaristía. Hasta Oviedo, enémigo acérrimo de Las Casas (combatiente furibundo del procedimiento), se burla de esta farsa que permite declarar la guerra justa o santa contra quienes no acepten la fe cristiana, y cosa fundamental, que permite esclavizar a los indios libres que no acepten convertirse por la fuerza. Las Casas, detractor de la conquista, agrega, "y leyeron entonces el requerimiento a los árboles".

La forma como Sor Juana inserta este procedimiento jurídico en *El divino Narciso* es significativa: la Religión, dama española, predica la fe católica e incita a su marido, el Celo, sospechosamente semejante a Cortés, para que con cajas y clarines, ropas de hierro y gritos formidables, declare la guerra, diciendo, después de una breve incitación a la conversión de los indígenas a la fe cristiana:

> Pues la primera propuesta / de paz desprecias altiva, / la segunda, de la guerra / será preciso que admitas. / Toca el arma! ¡Guerra, guerra! (p. 10).

Al leer la loa, uno se siente como Oviedo: da la impresión de que nadie puede tomarse en serio el Requerimiento o está de acuerdo con los comentarios irónicos de Las Casas. Y sin embargo, fue a través de él que se legalizó la guerra justa contra los indios y se destruyeron una civilización y una religión y se organizó una sociedad nueva en el seno de la cual nació, creció y escribió Sor Juana. Que ella se ocupe de estos temas en los autos *parecería* lógico (utilizo esa ambigua palabra, manejada sin excepción por todos los cronistas citados) si se tiene en cuenta además que el sacrificio humano y la Eucaristía tienen "perversas" semejanzas y provocan una ambigüedad específicamente dramática y barroca. La semejanza y a la vez la terrible diferencia de dos rituales en donde se ingiere el cuerpo de Dios conduce a utilizar una alegoría donde se explica cómo el Demonio pretendió fingir "de la Sacra Eucaristía / el alto Misterio", en suma un paradigma, barroco por excelencia, rico en posibilidades para manejar los conceptos y retorcer las ideas.

Pero *pareciera* –vuelvo a utilizar la dichosa palabra– que no hay solamente un problema retórico en esta obsesión de Sor Juana (presente por lo menos en dos de sus loas) y pareciera porque cabe preguntarse si nuestra monja, criolla mexicana, no tendría también una preocupación –traduzcámoslo mejor por mala conciencia– similar a la de Fernández de Oviedo o a la de Palacios Rubios, pero más bien parecida a la del padre Las Casas cuando protestó públicamente en España en contra de la institución del Requerimiento.

Entonces, replanteo la pregunta: ¿por qué eligió Sor Juana este tema? Gracias a su capacidad de síntesis y a las exigencias del género dramático, la monja concentra en una simple loa una enorme cantidad de información histórica y a la vez una perfecta argumentación para defender un sacramento cristiano frente a una cultura que no había sido (ni ahora ni entonces) totalmente conquistada.

Las loas y sus autos fueron escritos para representarse en México, Ciudad Regia, y quizá luego en Madrid, también Ciudad Regia, como subraya con abiertas intenciones la monja: quizá al darles la misma categoría a ambas ciudades resalta la grandeza de la cultura prehispánica y el esplendor de la capital novohispana. Ciertas acotaciones escénicas subrayan costumbres propias de los indígenas, antes y después de la conquista: se da por descontado de que en España los espectadores aceptarán sin asombrarse la vestimenta y las costumbres tradicionales de los indígenas: "bailan tocotines, plumas y sonajas, *como se hace de ordinario* esta Danza".

Por ello, intentaré examinar – quizá apenas ennumerar– brevemente algunos de los problemas y hallazgos que presenta esta loa:

1. Frecuentes suelen ser en la tradición de las lecturas a lo sagrado la aparición de personajes alegóricos representados como parejas.[9] En la Loa para *El divino Narciso*, el combate lo libran dos matrimonios, América, "india bizarra" casada con Occidente, "Indio Galán", quienes se enfrentan a la Religión, "Dama española", y a su esposo, el Celo, vestido de "Capitán General". En rapidísima y hábil actuación se representan las habituales querellas entre esposos y la Religión azuza al Celo para que castigue a la pareja rival y le impida celebrar sus cultos supersticiosos. El Celo posee fuerza y armas formidables pero pocas luces. La religión acude "a convidarlos de paz, ...(antes / que tu furor los embista"), p. 6. En ese paréntesis –Sor Juana utiliza los paréntesis de manera calculada– empieza a subrayarse una antítesis: el Celo y su interlocutor masculino, el Occidente, se comportan de manera mucho menos inteligente que la Religión y su interlocutora, América:

la fuerza está del lado de los varones, la capacidad de razonamiento del lado de las mujeres. Las armas "corporales" las tienen los hombres, las "intelectivas", las mujeres (Religión dice a Celo: "porque vencerla por fuerza / te tocó: más el rendirla / con razón, me toca a mí" p. 11): ¿Aseveración sancionada por la experiencia?

2. Sean peras o manzanas, lo importante es que de manera esquemática –pero magistral–, Sor Juana sintetiza la conquista de México: la Religión, lee el famoso pero incongruente Requerimiento, verbalizado simplemente así (p. 7):

> Occidente poderoso,
> América bella y rica,
> que vivís tan miserables
> entre las riqueza mismas:
> dejad el culto profano
> a que el Demonio os incita.
> ¡Abrid los ojos! Seguid
> la verdadera Doctrina
> que mi amor os persuade..."

Como ya lo reiteramos antes, sabemos que los conquistadores debían, antes de iniciar cualquier batalla, leerles a los indígenas el Requerimiento. Aunque a menudo se alega –y Sor Juana no es una excepción– que es contra el derecho natural hacerles la guerra a los infieles, la intervención armada se considera lícita para proteger a los "inocentes tiranizados", es decir a las víctimas de los sacrificios humanos.[10] Al no aceptar Occidente –como era de esperarse– el Requerimiento, al proseguirse las ceremonias en honor del Dios de las Semillas –Huitzilopoztli– y ofrecérsele un ídolo confeccionado con semillas (de alegría: huatli), amasado con sangre "inocente"(de niños), el Celo puede declarar la Guerra. En fulminantes acciones donde se enfrentan armas desiguales –caballos, escopetas, cañones contra flechas–, los mexicanos son vencidos. Ya es tiempo de que la Religión emprenda la conquista espiritual, y la maneje con "suavidad persuasiva", "benigna condición" e "intelectivas armas", en contraste con la alevosía del Celo y sus armas corporales. Se reitera el mismo argumento: la fuerza, no la razón, ha vencido a los indígenas.

3. Conquistados por armas superiores, Occidente y América, no se dan por vencidos. A la "guerra justa" oponen el derecho natural– o los fueros de la "potestad antigua"– a las "advenedizas naciones" que "perturban sus delicias". Sor Juana reitera en síntesis admirable la vieja y larga polémica que enfrentó a la corona con conquistadores, juristas y misioneros. La polémica se entabló, lo sabemos bien, entre españoles: el genio de Sor Juana permite un diálogo entre conquistadores y conquistados, diálogo donde combaten, como en el drama español de la época (Calderón), libertad y libre albedrío: "... pues aunque lloro cautiva / mi *libertad*, ¡Mi *albedrío* con libertad más crecida / adorará mis Deidades!" (p. 12). La libertad subyugada permitirá una conquista física, pero gracias al albedrío se mantienen *soto capa* las viejas creencias, mismas que, en muchos lugares, seguían vivas a pesar de la evangelización –quizá ella lo sabía por su cercanía con los indios durante su infancia en Amecameca. La única forma de luchar contra ellas, de no contrariar los "antiguos fueros, el "derecho natural", es la "suavidad persuasiva" con que Religión intentará indoctrinar a los vencidos.

Con el descubrimiento en 1980 de la carta que Sor Juana envió a su confesor, Núñez de Miranda, renunciando a sus servicios, podría quizá leerse en estas líneas una defensa del derecho universal que todos tienen al albedrío, sin excluir a las mujeres, a las monjas, a los indígenas, seres inferiores en la sociedad colonial. Núñez de Miranda les advierte a las novicias en escrito expreso, que en el instante mismo de tomar el velo habrán muerto para el mundo y carecerán hasta de albedrío. En la lucha que en la loa se entabla entre la pareja cristiana y la pareja indígena, Sor Juana defiende la conversión razonada y reprueba el uso de la fuerza hasta para la catequización, en este caso el Requerimiento y las armas, como únicos medios para convertir al cristianismo a los indígenas. Inserto un fragmento particularmente significativo de su carta que a mi modo de ver puede servir como un paralelo perfecto:

> Pues, padre amantísimo (a quien forzada y con vergüenza insto lo que no quisiera tomar en boca), ¿cuál era el dominio directo que tenía V.R. para disponer de mi persona y del albedrío (sacando el que mi amor le daba y le dará siempre) que Dios me dio?[11]

4. El ritual de los sacrificios humanos es un diabólico "remedo" de la Eucaristía. Así lo asientan los cronistas, según lo indicábamos más arriba. A pesar de que, como se dijo arriba, Sor Juana sólo conoció fuentes tardías de la historia de la conquista de México, varias de las ideas de esas loas –las que se refieren específicamente al sacrificio humano y a la conquista de México–[12] provienen, como ya dije de la *Monarquía Indiana* de Torquemada, una de las pocas crónicas autorizadas en esa época. Es posible sin embargo que Sor Juana conociera parte de ese material de manera indirecta: ya fuera por tradición oral o por copias manuscritas. De otra forma, ¿cómo explicar en *El divino Narciso* la presencia de ritos muy elaborados en honor del "Dios de las

Semillas", si Sor Juana no hubiese conocido además, aunque fuera de trasmano, algunas de las fuentes de los primeros cronistas?

Quizá debiera prestarse más atención a unos versos de la Loa para *El cetro de José* donde Sor Juana, entre paréntesis, dice lo siguiente: "(A nadie novedad haga, / pues así las tradiciones / de los indios lo relatan)", (p. 196). Cabe suponer que dispuso además de "libros escritos de mano que no están impresos", semejantes a los que el editor de la segunda edición de Torquemada, Nicolás Rodríguez Franco, consultó.[13] Es posible porque su argumentación es muy completa y matizada: ¿Rebasaba su afán de erudición lo permitido en su época?, ¿ y eso, a pesar de que, como ella misma lo subraya, "no quiere ruidos con la Inquisición"?

5. Las "armas intelectivas" permiten a la monja organizar una especie de diálogo socrático enmarcado dentro de la tradicional controversia canónica. Sólo con la razón se podrá realmente catequizar. En este punto sigue totalmente las tesis de Fray Bartolomé de las Casas [14]. Insisto, su argumentación se basa en la analogía; [15] tanto los distintos rituales como la simbolización de los sacrificios humanos se parecen extrañamente al sacramento católico de la Eucaristía : Su "dibujo", sus "cifras", sus "figuras" han sido ideados por el "Demonio", esa "Sierpe", esa "Hidra", ese "Áspid", cuyas apariciones "remedan" con malicia las "sagradas maravillas". Para vencerlas la Religión (¿Sor Juana?) no emplea como el Arcángel San Miguel, San Jorge ( o el Celo) "armas corporales" sino que con el "mismo engaño" si "su lengua (Dios) habilita", la Dama Española convencerá a la India Bizarra de que la Religión cristiana es parecida a la prehispánica. ¿No se habrá también Sor Juana trasvestido de "serpiente" o de "áspid", como en el Paraíso el Demonio para tentar a Eva, y ésta a su vez al hombre?

6. La analogía es pues la piedra de toque de toda la argumentación.

Las dos religiones se parecen: ambas religiones hacen del cuerpo de su Dios un Manjar sagrado. Occidente pregunta (p. 15):

> ¿Será ese Dios, de materias
> tan raras, tan exquisitas
> como de sangre, que fue
> en sacrificio ofrecida,
> y semilla, que es sustento?

Torquemada llama *Tecualo* a esta ceremonia en que el Dios es comido. América lo subraya y dice que "El Dios de las Semillas (hacía) manjar de sus carnes mismas".[16] Las dos religiones parten de un mismo ritual convertido en sacramento, la comunión: En los evangelios se lee "El que come mi Carne,[17] tiene la vida eterna". Del diabolismo prehispánico, de las perversas coincidencias, Sor Juana hace un arte. Utiliza para indoctrinar los mismos argumentos que su contrincante esgrime para defender a su religión. No combate, razona. ¿No convencía siempre así Sor Juana a sus contrincantes? Más que debate parece una seducción.[18]

7. Uno a uno, Religión va examinando los argumentos que América le presenta. Cada uno de ellos es el sustento inequívoco de la verdadera religión (p. 14):

> esos portentos que vicias,
> atribuyendo su efecto
> a tus deidades mentidas,
> obras del Dios Verdadero
> y de Su sabiduría
> son efectos...

*a*) Dios se hace carne y se ofrece en comunión a sus feligreses, igual que el Dios de las Semillas; *b*) sólo los sacerdotes pueden tocarlo en ambos casos, y, *c*) antes de celebrar la comunión es necesario purificarse ("...antes que llegue a la rica / mesa tengo de lavarme, / que así es mi costumbre antigua..." p. 17). Esta purificación mediante el agua permite a Sor Juana invocar "las aguas vivas" del sacramento del bautismo y establecer el verdadero puente entre la loa y el auto sacramental, en donde justamente esas aguas vivas, ese manantial purísimo simbolizaran al unísono el agua del Bautismo y la fuente de Narciso. Así, con "retóricos colores" y mediante "objetos visibles" se materializará la alegoría, sustento del auto sacramental, e instrumento básico de la indoctrinación.

8. Una última acotación escénica y conceptual: la más delicada argumentación utilizada por la monja, la máxima "fineza" (para usurpar uno de sus conceptos preferidos) consiste en demostrar el carácter simbólico, y sobre todo el *carácter incruento* de la religión cristiana (p. 16):

> Ya he dicho que es Su infinita
> Majestad, inmaterial;
> más su Humanidad bendita,
> puesta incruenta en el Santo
> Sacrificio de la Misa,
> en cándidos accidentes,
> se vale de las semillas
> del trigo...

La excesiva corporalidad de los ritos de los vencidos tiene ventajas y desventajas: sirve de punto de partida, define los argumentos, refuerza las analogías, y al mismo tiempo subraya una concreción delatada por la crueldad del sacrificio humano y por el consiguiente derramamiento de sangre ("Dad de vuestras venas / la sangre más fina...", p. 4). Mediante el mismo tipo de paralelismo que tanto le ha servido para catequizar en la loa, Sor Juana anuncia, antes de terminarla para pasar al auto sacramental, otro ejemplo de gentilidad, la grecolatina, cuya capacidad de conceptualización es, parece decir Sor Juana, mayor que el de gentilidad prehispánica.[19]

De lo que podría deducirse que Sor Juana propuso un concepto totalmente distinto de la evangelización en México: es la catequización, pero sobre todo el deseo de mostrar las relaciones que existen entre el máximo sacramento de la cristiandad, la Eucaristía, y otras religiones,[20] y la defensa universal del libre albedrío lo que mueve a la monja. Además, ha exorcizado en parte a los indígenas y ha destacado el sofisticado tejido de su religión. ¿Existe mayor fineza?

# X
# ECO Y SILENCIO EN *EL DIVINO NARCISO**

*Y casi me he determinado a dejarlo al silencio*

En la *Respuesta a Sor Filotea,*[1] Sor Juana explica con una célebre –y casi manida, por tan socorrida– frase, su dificultad para responder a la Carta del Obispo de Santa Cruz:

> ...y casi me he determinado a dejarlo al silencio, pero como éste es cosa negativa, aunque explica mucho con el énfasis de no explicar, es necesario ponerle algún breve rótulo para que se entienda lo que se pretende que el silencio diga: y si no, nada dirá el silencio, porque ése es su propio oficio: decir nada", (*RF*, IV, p. 441).

Ya Octavio Paz decía en 1950, en referencia a esa frase: "El silencio es indecible, expresión sonora de la nada; el callar es significante".[2] La monja agrega un nuevo ejemplo para explicar ese silencio que parece injustificable:

*Este texto forma parte de un trabajo más extenso sobre Sor Juana, una antología editada y prologada de sus obras que aparecerá en breve en la Biblioteca Ayacucho de Caracas, Venezuela.

> No se hallaba digno Moisés, *por balbuciente*, para hablar con Faraón, y después el verse tan favorecido de Dios, le infunde tales alientos, que no sólo habla con el mismo Dios, sino que se atreve a pedirle imposibles (*RF*. IV, p. 442).

Balbucear es una forma de perder la voz; existen varias, como también diversos recursos retóricos e imágenes para expresarlas, dentro del catálogo de arquetipos tradicionales. Sor Juana los revitaliza y recrea. En su contestación a Sor Filotea enmudece como Moisés, antes de poder balbucear su respuesta: "El segundo imposible es saber agradeceros tan excesivo como no esperado favor [la publicación de la Crisis]" (p. 440). Una casi completa cesación del habla se produce cuando algo es tan conmovedor o doloroso que "no... se puede estrechar a lo limitado de las voces", apenas se pueden verter "lágrimas de confusión". Pero el llanto, dirá Sor Juana, esta vez en la *Carta Atenagórica,*[3] es apenas una expresión natural del dolor...: "De donde se prueba, por razón natural, que es menor el dolor cuando da lugar al llanto, que cuando no permite que se exhalen los espíritus porque los necesita para su aliento y su confortación" (*CA,* IV, p. 419). La confirmación se encuentra en las Escrituras, específicamente en el Evangelio, por ejemplo:

> A dos hombres gradúa Cristo con el dulce título de amigos. El uno es Lázaro [...] El otro Judas [...] Suceden, a los dos, dos infortunios: muere Lázaro muerte temporal; muere Judas muerte temporal y eterna. Bien se ve que ésta sería más sensible para Cristo; y vemos que llora por Lázaro [...] y no llora por Judas: *porque aquí el mayor dolor embargó al llanto, y allí el menor le permitía* (*CA*, IV, p. 419).

En el auto sacramental, Eco, personificación del demonio, enmudece a medias, es capaz solamente de repetir, como condena, el final de las frases que oye:

Más, ¡ay!, que la garganta ya se anuda; / el dolor me enmudece [4].

Su dolor es producido por la envidia, por el despecho, por la ira, y además por la imposibilidad del llanto, pues la garganta "se anuda". A Satanás, en particular, se le niega la palabra. El padre Méndez Plancarte asegura que en las Escrituras se prueba que el Demonio es mudo, "*causal* y *eficientemente*, en cuanto que produce mudez, ya física o ya espiritual". Frente a un Dios que es el Verbo, el demonio es mudo. Pero, ¿no le sucede lo mismo a Cristo o, para el caso, a Sor Juana cuando una emoción demasiado grande los embarga y les hace perder la voz? ¿Habría que inferir entonces que el silencio (o la mudez de Eco –el demonio–) es completamente diferente al de Sor Juana o, de nuevo, si se llega a sus últimas consecuencias, en el ejemplo que ella cita, al de Cristo? ¿En qué medida, entonces, el eco –"la multiplicación de las voces por la repercusión", como lo define Covarrubias en su famoso Diccionario– es a la voz lo que el reflejo a la imagen?

*El dolor me enmudece...*

*El divino Narciso* es un auto sacramental: explica el Sacramento de la Eucaristía utilizando "colores alegóricos" y "metafóricas frases". Su ropaje es convencional, el mitológico, y se encuadra en el mundo pastoril, para seguir la tradición quc culminó en Calderón de la Barca, quien con obras como *El divino Orfeo*, una de las más perfectas entre sus muchos autos, define el drama religioso barroco. Así, el pastor Narciso se enamora de una ninfa, Naturaleza Humana, cuya rival es Eco, la naturaleza angélica caída –réproba– o el Demonio. El triángulo característico se ha reinstituido, sólo falta encontrar una fórmula capaz de transformar lo profano en lo divino, y de esta forma hacer verosímil y ortodoxo a Narciso que representa al Buen pastor, es decir, a Cristo. Y, lo más importante, hacer que las metamorfosis paganas, tal como las concibe Ovidio, se conviertan en transmutación eucarística. Así, en apretada y lírica síntesis, Sor Juana logra examinar los misterios del Cristianismo y revisar, en catequesis exacta, la Historia Sagrada desde su origen hasta la llegada del Mesías. La historia la cuenta en gran parte Naturaleza Humana que –según tres distintas etapas– es, primero la Ley Natural, luego la Ley del Pueblo Elegido y, por fin, la Naturaleza Humana corrompida, afeada por el pecado. Su fealdad contrasta con la Hermosura soberana de Narciso y marca por ello la desemejanza: Dios creó al hombre a su imagen y semejanza, pero el pecado altera y "mancha" el reflejo, como el dolor o la rabia alteran la voz. La Gracia encamina a la Naturaleza Humana hacia Dios, es decir, la ayuda a purificar "sus borrones", mientras Eco-Luzbel trata de impedirlo, apoyado en sus atributos, el Amor Propio y la Soberbia.

Gran perplejidad ha producido entre los críticos el hecho de que Sor Juana hubiera elegido a Narciso como personaje mitológico para representar a Cristo. ¿El enamorado de sí mismo?, pregunta Benassy;[5] ¿un suicida, según el mito, puede representar a Cristo?, agrega Pfandl,[6] ¿cómo justificarlo sin caer en la herejía? La respuesta está quizá en la significación simbólica de la Hermosura de Narciso, hermosura inigualable aunque semejante a la del hombre, hecho a su imagen y en la cuidadosa escena de su desaparición que en nada recuerda a un suicidio, en realidad accidente en Ovidio. No causa tanto asombro el hecho de que Sor Juana le diera a Eco la figura del Demonio. Para Paz es un acierto, en la medida en que "el demonio es el imitador, el simio de Dios, que repite lo que dice la Divinidad sólo que convirtiendo su sabiduria en ruido vacío".[7] En efecto, un imitador copia una apariencia, es un eco del personaje imitado, pero la actividad de Eco no es sólo especular, la de repetir el sonido, su misión es destruir, afear, construir la desemejanza:

> Y así, siempre he procurado / con cuidado y diligencia / *borrar* esa semejanza, / haciéndola que cometa / tales pecados que Él mismo. / destruyó por agua el mundo, / en venganza de su ofensa (*DN*, p. 37).

Y, sin embargo, su figura es enigmática. Sor Juana le cambia el sexo al demonio. En el auto de Calderón, *El divino Orfeo* el enemigo es llana y simplemente Lucifer. Aquí está ligado, en tanto que "réplica auditiva" y negativa, con la Fuente de Narciso, esa Fuente pura y cristalina, que trasmutándose varias veces se convierte en el agua letal, el agua derramada –la que destruyó casi por completo a la humanidad en el Diluvio– y por fin en la Pila Bautismal: "Vamos a buscar / la Fuente en que mis borrones / se han de lavar" (*DN*, p. 31). Más tarde, se convierte, para Sor Juana, en el símbolo del Vientre de María, la Purísima Concepción.

> Oh, Fuente divina, Oh Pozo / de las vivíficas aguas, / pues desde el primer instante / estuviste preservada / de la original ponzoña, / de la trascendental mancha, / que infesta los demás Ríos; / vuelve tú la imagen clara / de la beldad de Narciso. / Que en ti sola se retrata / con perfección su belleza / sin borrón Su semejanza (*DN*, p. 54).

"Cabe añadir, explica Marie Cécile Bénassy, que la naturaleza humana de Cristo, cuya fuente es María, es tan auténtica como la de cualquier mortal" (*Op.cit.*, p. 390). La Fuente en donde morirá Narciso ha sido antes el Vientre inmaculado de su madre, un Vaso de Pureza. La muerte espera en la misma Fuente ahora transmutada: "Abre el cristalino sello / de ese centro claro y frío / para que entre el amor Mío". La Fuente vuelve a aparecer en su más prístino simbolismo al finalizar el auto, cuando con la resurrección de Narciso-Cristo se instaura el Sacramento eucarístico y se realiza la unión hipostática del Dios Hombre con el Verbo de Dios, momento en que Narciso Divino enamorado de sí mismo, en cuanto Verbo Encarnado, ofrece su vida para embellecer la de su Esposa, la Naturaleza Humana. El gran final se representa con la aparición del Carro de la Fuente y junto a ella un Cáliz con una Hostia encima.

Sería interesante analizar una de las imágenes más reiteradas en el auto. La fuente primordial, cristalina, ha sido enturbiada por Eco: ella ha transformado sus aguas puras en aguas salobres, inutilizando el reflejo de "sus cristales", es decir, destruyendo el espejo,"borrando" la semejanza. Una de las palabras más usadas por Sor Juana en el auto es justamente el vocablo "borrar" y sus derivados, habitual por lo demás en sus escritos y también en los de su época. La palabra borrón aparece por primera vez en el auto cuando Naturaleza Humana explica los distintos papeles de los personajes y su significado alegórico, que, para usar sus propias palabras, serían las "ideas representables".

> Y en metafóricas frases / tomando sus locuciones / Y en figura de Narciso / solicitar los amores / de Dios, a ver si dibujan / estos oscuros *borrones* / la claridad de Sus luces. (*DN*, p. 26)

Es evidente que la palabra borrón se refiere aquí netamente a la escritura, a la construcción del auto sacramental. Naturaleza humana es en cierta forma una proyección de Sor Juana, parecida a la Leonor de *Los empeños de una casa*, quien pronuncia un parlamento en donde la autora relata la historia de su vida y su relación con la escritura. Sor Juana utiliza la palabra borrón de manera frecuente, por ejemplo en la *Respuesta a Sor Filotea* cuando le agradece al obispo de Santa Cruz que haya dado a la prensa sus "borrones". Es significativo entonces que esta palabra negativa, usada en un sentido formal y cortesano –casi ritual– de falsa modestia, que aparece en toda su escritura, se reitere al inicio de uno de sus textos más representativos, el más expresamente autobiográfico. Y esa misma palabra, debo subrayarlo, define en el auto a la escritura. Es más, como ya lo he explicado, en la carta llamada de Monterrey, en la que prescinde de los servicios de su confesor, el poderoso padre Núñez de Miranda, ella explica que una priora de su convento, sospechando de su escritura ("cosa de Inquisición"), reprobó su caligrafía y la obligó a deformarla, a *malearla*. Y, es obvio, malear la letra produce necesariamente los borrones. La misma Naturaleza humana explica cómo "las aguas" de sus culpas han hecho que se *borre* su Belleza, de tal forma que "si las mira Narciso, / a Su imagen desconoce". Borrar la imagen equivale a destruir la semejanza, a confundir la visión. Borrar significa también eliminar el cuerpo, desterrar el erotismo, trascenderlo mediante la escritura metáforica.[8]

Al aparecer Eco en escena, pronuncia un larguísimo monólogo, en paralelo absoluto con los de Naturaleza Humana, su imagen revertida en el espejo; la imagen producida cuando la Naturaleza Angélica es arrojada del paraíso, como lo fueran también Adán y Eva. En ese parlamento se afirma que, por envidia, Eco siempre ha procurado "...con cuidado y diligencia / *borrar* esta Semejanza / entre Dios y su Creatura". Eco hace desfilar luego a los grandes Patriarcas de la Ley Judía y Moisés, primero mudo ante Faraón, le pide luego a Jehová clemencia para su Pueblo, se "atreve a pedirle imposibles" (*RF*), y hasta amenazarlo en caso de que no lo favorezca: "*bórreme* a mí / de la Vida eterna."

Si el pecado puede borrar la imagen y destruir la semejanza, como contrapartida, borrar es también la posibilidad de lavar las culpas, hacer desaparecer la mancha. Este oficio lo ejerce la Virgen María, la que estuvo preservada de la Mancha original, la única que en sí sola retrata "con perfección Su belleza, / sin *borrón* Su semejanza".

Eco, autora de muchos de los borrones del texto y por ello autora también de su escritura, se ve obligada a enmudecer:

> Si quiero articular la voz, no puedo / y a media voz me quedo, / o con la rabia fiera / sólo digo la sílaba postrera: / que pues letras Sagradas, que me infaman / en alguna ocasión muda me llaman... (*DN*, p. 64).

En su parcial y apasionado juicio sobre Sor Juana, Pfandl la acusa de narcisista y de haber, por ello, escogido, en blasfema transgresión, la figura de Narciso para su auto sacramental:

> Ha percibido, dice, la imagen y semejanza de su propio interior, por consiguiente en su auto ha supuesto una interpretación que alude a ella misma, y de este modo, el sentido latente del primitivo mito se encuentra infinitamente más cerca de su espiritualidad que lo estuvo la transformación de Ovidio. (*Op. cit.*, p. 238)

Quizá. Pero lo que para Pfandl es un reptante narcisismo podría ser una de las formas en que, manejando la alegoría, Sor Juana utilizó su saber para redefinir mediante una trilogía femenina –María, Eco y Naturaleza Humana– el papel que las mujeres tenían en su mundo. ¿No se quedaron mudas también cuando Pablo les exigió que callaran en la Iglesia? ¿No fueron comparadas siempre con la Serpiente, la imagen del Demonio en el Paraíso? Sor Juana tenía razón, Eco puede representar impecablemente al demonio, pero de alguna forma Sor Juana también. ¿No resuenan acaso en su obra los ecos de las Sagradas Escrituras, los de Góngora, Calderón, San Juan de la Cruz, y los de Jeremías, Isaías, Miqueas, Ester y *El Cantar de los Cantares*?[9] Pero, sobre todas las cosas, ¿no fue Sor Juana condenada al silencio?

Por eso, en su *Respuesta a Sor Filotea*, dijo:

> Todo esto pide más lección de lo que piensan algunos que, de meros gramáticos, o cuando mucho con cuatro términos de Súmulas, quieren interpretar las Escrituras y se aferran del *Mulieris in Ecclesiis taceant* (sic), sin saber cómo se ha de entender... (*RF*, p. 467).

Y después, ya explícitamente en relación con la Carta Atenagórica, se defiende con estas palabras:

> Y creo que si pudiera haber prevenido el dichoso destino a que nacía –pues, como a otro Moisés, la arrojé expósita a las aguas del Nilo del silencio, donde la halló y la acarició una princesa como vos– creo, vuelvo a decir, que si yo tal pensara, la ahogara antes entre las mismas manos en que nacía, de miedo de que pareciesen a la luz de vuestro saber los torpes *borrones* de mi ignorancia (*CA*, p. 471).

*De mis oscuros borrones, quedan los disformes rasgos*

Los borrones forman parte inextricable de cualquier escritura; no es posible escribir sin enmendar las frases, tacharlas, cambiarlas de lugar, hacerlas desaparecer, *borrarlas*, y dejar manchas en el papel, aunque sea flagrante su sentido figurado, es decir, el texto mismo. El proceso concreto de la escritura con sus vaivenes y sus tachaduras está descrito directamente en el prólogo que Sor Juana escribió para la compilación de sus poemas del Tomo I de sus obras y que no apareció publicada en la *Inundación Castálida* de 1689.

> Estos versos, lector mío / que a tu deleite consagro, / y sólo tienen de buenos conocer yo que son malos, / ni disputártelos quiero / ni quiero recomendarlos, / porque eso fuera querer / hacer de ellos mucho caso / No agradecido te busco: / pues no debes, bien mirado, / estimar lo que yo nunca / juzgué que fuera a tus manos. / En tu libertad te pongo, / si quisieres censurarlos... / Bien pudiera yo decirte / por disculpa, que no ha dado / lugar para corregirlos / la prisa de los traslados; / que van de diversas letras, / y que algunas, de muchachos, / matan de suerte el sentido / que es cadáver el vocablo. (t. I., pp. 3-4)

La cita presenta aspectos bien distintos entre sí: por un lado advertimos un tono desenfadado, casi de desafío, destinado al lector y añadido a la declaración expresa de que sus versos no estaban destinados para la luz pública, "lo que yo nunca / juzgué que fuera a tus manos...". Una captación de benevolencia negativa. El título del verso lo recalca cuando especifica:

Prólogo del lector, de la misma Autora, que lo hizo y envió con la prisa de los traslados, *obedeciendo al superior mandato de su singular patrona,* [...] *por si viesen la luz pública: a que tenía tan negados Sor Juana sus versos, como lo estaba ella a su custodia, pues en su poder apenas se halló borrador alguno.*

Y la segunda parte de la cita es una disculpa en la que cabe la descripción material de uno de los procesos por los que pasa la escritura, en el acto mismo de escribir, es decir, el traslado, la copia, el *borrador*, el cual, para existir, deberá estar compuesto de letras y de *borrones*. Es por ello muy significativo (v. *supra*) que esta palabra usada en los versos que abren la segunda edición del Primer Tomo de sus obras, con su sentido formal y palaciego de falsa modestia, común en su escritura, se emplee de otra forma al inicio de su texto más expresamente autobiográfico, la *Respuesta*. Esa misma palabra que en *El divino Narciso* define a la escritura, se utiliza en la *Respuesta* como algo nefasto y referido al proceso mismo de escribir. Ya lo había dicho en la *Carta Atenagórica*.

No cabe duda, Sor Juana usa la palabra *borrón* de una manera muy especial. Hay un cambio dramático de tono entre sus diversos escritos, aunque los separe una escasa distancia cronológica (con excepción del de la carta dirigida al padre Núñez que quizá sea de principios de la década). Los versos, a manera de prólogo, debieron haber sido escritos hacia 1688; La *Carta Atenagórica* fue publicada en 1690, y la *Respuesta a Sor Filotea* está fechada el 1° de marzo de 1691, es decir unos cuantos meses después de la publicación de la *Atenagórica*. En los versos del prólogo, donde, de manera bastante elíptica, nos da cuenta del por qué de los borrones, hay una seguridad desdeñosa que dista mucho del tono respetuoso y hasta atemorizado de la *Respuesta*. ¿Por qué tantas diferencias? ¿Qué significaba para ella que una Mecenas de la categoría de la Marquesa de Paredes –*el superior mandato de su singular patrona*– publicara en España un conjunto de textos que habrían de editarse allí, en 1689, con el hiperbólico título de *Inundación Castálida*? ¿Por qué es tan juguetón y desafiante el tono con que entrega sus versos –repito– a las prensas de la Metrópolis? ¿Por qué tanto desprecio si como dama de palacio, ha aceptado el mandato de la virreina para imprimir sus *negros* versos que, recalca ella en otro de sus escritos, la *Carta* llamada de Monterrey, le son indiferentes? ¿Por qué, cuando otro Mecenas, esta vez el obispo Manuel Fernández de Santa Cruz, edita a sus costas la *Carta Atenagórica*, el favor "es de tal magnitud" que la deja muda?

Es obvio que hay una respuesta inmediata. Los versos pertenecen a la cortesanía, uno de los discursos del poder; las cartas entran dentro del terreno de lo religioso; al producirlas, puede ser perseguida por los "ruidos" temibles de la Inquisición, el otro polo en competencia, entre cuyos extremos ella oscila. Esto, además de deducirse lógicamente por la estructura de la sociedad colonial en que vivía sor Juana, se expresa nítida y directamente en la *Respuesta* y ha sido objeto cuidadoso de otros escritores. Sin embargo, varias cosas aún me dejan perpleja y me gustaría tratar de contestarlas aunque sea parcialmente. Se refieren, por un lado, al proceso de la escritura misma, implícito, como lo he sugerido, en el empleo que Sor Juana hace de la palabra *borrar.* Me parece fundamental reflexionar sobre ese acto de escritura implícito en la tarea de exponer las ideas, tacharlas después, hacerlas desaparecer y expresarlas mejor o encubrirlas en caso de que resulten peligrosas. Las diversas variantes semánticas del por demás curioso, comprometido, ambiguo y sin embargo muy sugerente vocablo *borrón*, como lo usa Sor Juana, es un eco magnificado de la dificultad implícita en la acción concreta de escribir y sus consecuencias posteriores.

*En mi inmunda boca y en mi baja pluma...*
Estado informe del que muy bien pudiera dar cuenta la nota que comenta el último poema cortesano que escribió la monja; aparece en la *Fama* de 1700, dedicado "a las inimitables plumas de la Europa, que hicieron mayores sus obras con sus elogios, que no se halló acabado"; romance seguido por tres composiciones sacras que clausuran definitivamente su producción y que lleva un epílogo, declarando su estado de inconclusión:

> Este Romance que aún entre la valentía de los números, muestra en la poetisa lo humilde de su genial desconfianza, se halló así, después de su muerte, *en borrador y sin mano última* (*Fama*, fol. 126).

Aunque esa acotación no haya sido puesta por Sor Juana, puede manejarse como si lo fuera, de acuerdo con lo que he venido diciendo. Llamarle borrador a un escrito puede ser muy bien una fórmula cortesana. Exhibe humildad y también subraya la aparente indiferencia frente a la escritura, tarea o labor sospechosa porque no le corresponde por naturaleza a las mujeres. *Estar sin mano última*, expresión muy afortunada, revela que la monja nunca dejó de preocuparse por esa escritura "indiferente" y que ese último borrador encontrado era una muestra palpable de lo que en inglés se llama con acierto *work in progress*, y en español es justamente el borrador un procedimiento rutinario, un proceso de trabajo, desdeñado con aparente trivialidad e indiferencia ("esos negros versos" [...] "que sólo tienen de buenos / conocer yo que son malos").

Además de especificar con notable precisión lo inacabado, la expresión "estar sin mano última" describe con rigor las condiciones materiales de la escritura y sobre todo su corporeidad. Esa rutina, híbrido curioso entre la labor de mano –"actividades que deprenden las mujeres"– y el trabajo de "cortar la pluma", forma una especie de *patchwork* o mejor un emblema, en el sentido literal del término

(Emblema es nombre griego, avisa Cobarruvias en su *Tesoro de la Lengua Española o Castellana*, significa entretejimiento o enlazamiento de diferentes pedrecitas o esmaltes de varios colores que formaban flores, animales y varias figuras en los enlosados de diferentes mármores, enlazados unos con otros, y en las mesas ricos de jaspes y pórfidos, en cuyos compartimentos suelen engastar piedras preciosas...).

Este ejercicio fue sintetizado de maravilla por otra monja, Beatriz de Santiago, una de las primeras reclusas del Convento teresiano de San José, cuya actividad pormenoriza su biógrafo:

> Si ha de escribir algo aunque sea para una persona muy grave es en los sobreescritos de las cartas que se echan a mil pedacitos de papel que halla por los rincones de la casa los cuales recoge y guarda con licencia y una vez vide yo una carta para un arzobispo de estos pedacitos de papel asentados y cosidos en un trapo de lienzo y la cubierta era otro trapo bien cosido.[10]

En la *Fama* se incluyen muy pocas poesías mundanas; en ese tomo, además de los elogios extremados que la poetisa despierta, están su *Respuesta a Sor Filotea*, sus ejercicios devotos, sus ofrecimientos del

Santo Rosario y varias protestas y peticiones extremas, firmadas con su sangre, además de la célebre respuesta al Conde de la Granja, cuyo Romance también se incluye. Y para finalizar, en ese eterno juego de correspondencias –en su sentido literal de comunicación epistolar–, se encuentra esa última dirigida al mundo, la hallada, "sin mano última" , en respuesta "a las inimitables plumas de la Europa" y en donde en dos ocasiones subraya la inconclusión, la disformidad, la rustiquez de su escritura: "Pero si de mis borrones / visteis los humildes rasgos, que del tiempo más perdido / fueron ocios descuidados" (I, p. 159) o, más adelante, "Bien así a la luz de vuestros / panegíricos gallardos, / de mis oscuros borrones / quedan los disformes rasgos" (I, p. 161).

La *Fama* es pues ya el libro de una religiosa; libro de donde se excluyen, con muy pocas excepciones, muestras de su enorme producción mundana, y cuya organización subraya de manera extremada esta aserción: en relación simétrica con la *Respuesta al Obispo de Santa Cruz*, están las respuestas a un noble, el Conde de la Granja, también escritor, y a los ingenios de la Europa; en el volumen, entonces, se incluyen las epístolas, la epístola pastoral y las epístolas versificadas, también las respuestas, la primera en prosa, las segundas en verso, respuestas éstas en donde –como en el *Sueño*, escribe de noche– y en "cuyo estudio no ha pasado / de ratos, a la precisa / ocupación mal hurtados" (I, p. 159), consecuencia de la cual son los oscuros borrones, los disformes rasgos. Hay que subrayar la correspondencia y su consecuencia: antes de morir en cuerpo y alma, tiene que empezar a borrarse del mundo, a poner en limpio sus cuentas con la divinidad, Y ese borramiento se ejerce desde su corporalidad.

(El diccionario de la Real Academia acoge las palabras corporalidad y corporeidad, –como derivaciones genéricas del cuerpo–. Utilizo las dos, la primera en relación con "la calidad de corporal o cosa corporal", "lo que pertenece al cuerpo"... añade Cobarruvias, pero también en su connotación religiosa," está restringido a significar los lienzos que se ponen en el altar, sobre los cuales se coloca en la misa el cuerpo de nuestro redentor Jesu Cristo, debajo de las especies de pan y vino"; y la segunda como calidad de corpóreo).

Corporeidad exacerbada, trabajada con asiduidad, nunca separada de la mente, ni siquiera en los místicos que aspiran a reunirse con la divinidad, en espíritu, con el alma. ¿No empezó la reforma carmelita con una cuestión de pies? ¿No fue encarcelado San Juan? ¿San Francisco no usó acaso sandalias como emblema de su humildad? Y, para aducir ejemplos cercanos a Sor Juana, ¿el padre Núñez no ostentaba como amuleto de santidad a las bestezuelas que pululaban por sus remiendos? ¿No se les prohibía a las monjas usar sábanas? ¿No dormía en camas prestadas, llenas de chinches, el arzobispo Aguiar?

Este afán de separarse del cuerpo, sin dejar ni un sólo instante de pensar en él, es condición imprescindible de la mística y de la ascética. Erótica ambivalente, desesperada, esta relación de un cuerpo excesivo con un cuerpo ausente, perteneciente a una ascética, a una mística, a la vez sagrada y profana, la poesía amatoria del trovador y su dama, del poeta y de su musa. Un peso corporal irreductible, enfrentado a "lo que no pesa", el amante, el amado, pero también los versos –la escritura–, en perpetua reversión sobre sí mismo, sobre todo en el ámbito de la religión. El cuerpo propio se transforma, gracias a la disciplina, a la meditación –y/o a la flagelación, a los ejercicios espirituales– en el cuerpo del otro, el Amante, el Amado, el Esposo, Cristo; metamorfosis producida también en lo institucional y reforzada durante el Concilio de Trento. Así lo resume de Certeau:

> ...La evolución medieval del "corpus mysticum" señala un momento de este trabajo. A partir de mediados del siglo XII, la expresión ya no designa a la Eucaristía, sino a la Iglesia. Recíprocamente la expresión "corpus verum" no califica a la Iglesia, sino a la Eucaristía. Los adjetivos "mysticus" (lo escondido) y "verus" (lo verdadero, lo real y cognoscible) se invierten... El significado (eucarístico) se convierte en el significado del otro término... La iglesia, "cuerpo" social de Cristo es ya el significado (escondido) de un "cuerpo" sacramental concebido como un significante visible porque ostenta una presencia debajo de las "especies –o apariencias– del pan y el vino" consagrados.[11]

La apariencia –o fantasma, en su acepción contemporánea a la monja– se hace cuerpo en la imitación de Cristo, tal y como se explica, mediante metáforas, en *El divino Narciso*, pero también mediante la representación de la corporeidad inevitable en un auto sacramental escrito para ofrecerse como espectáculo. El progresivo alejamiento de las "rateras nociones de la tierra" se produce en Sor Juana con un extremado "encarnizamiento": de manera feroz y literal sobre la carne. Este proceso puede leerse de varias formas y se inscribe no sólo en su cuerpo sino que se describe en sus textos religiosos hechos en beneficio de sus hermanas de religión y se remacha en sus peticiones en forma casuídica, y en su última y renovada profesión de votos. Así cierra ese paréntesis abierto en su vida de religiosa, cuando, al profesar por vez primera, falta a su juramento.

Anular su primera profesión, traicionada –borrada– por el exceso de escritura mundana, exige previamente, para cumplirse, un acto material, otro juramento escrito con sangre, en su cuerpo y de nuevo inscrito en el libro de profesiones del convento. La metamorfosis, el trastrueque que transforma a Sor Juana –de experta cortesana en aprendiz de santidad–, se indica, en forma explícita y en rápido "vuelo", con otra fórmula de humildad, ahora rayana en la abyección, lícita si se ofrece a la divinidad:

> Emperatriz Suprema de los Ángeles, Reina Soberana de los Cielos, absoluta Señora de todo lo criado: El dedicar esta obra a vuestros reales y sagrados pies, bien sabéis vos que no es ofrenda sólo voluntaria, *sino también restitución debida*, por ser vuestra antes que mía; no sólo por lo sagrado del asunto, sino porque vos, Princesa Inmaculada, os servisteis de inspirar a algunas almas vuestras devotas, que me la mandasen disponer: con que no le queda de mía sino la rústica corteza y el torpe estilo en que va escrita; de lo cual pido perdón a vuestra maternal clemencia, no tanto por la rudeza de lo discurrido, como por la tibieza y flojedad de lo meditado, y de haber tenido osadía de tomar vuestros altos misterios y el testamento sacrosanto de vuestro Hijo y Señor nuestro, *en mi inmunda boca y en mi baja pluma.*

En principio, la dedicatoria a estos *Ejercicios de la Encarnación* es muy singular; no sólo reproduce las expresiones trilladas y las imágenes reiterativas de devoción y vasallaje de los poemas cortesanos dedicados a la Marquesa de la Laguna y a otros potentados, sino que adjudica su factura al pedido de algunos devotos, como se adjudicaba la factura del *Neptuno alegórico*, pongamos por caso, al Cabildo metropolitano y a las autoridades palaciegas. La modestia necesaria para invocar el trabajo salido de las propias manos lo nulifica, para luego exaltarlo si su resultado "fervoriza" sus corazones; las diferencias son básicas, aunque el género se corte de manera semejante. Es una obra de encargo, pero su contenido edificante va dirigido a una colectividad (la de los Señores Sacerdotes y Señoras Religiosas); dedicada a una Princesa también, ésta es Inmaculada y su corte es celestial. Como en el caso de los villancicos tiene un receptor colectivo y su efecto se bifurca, favorece (fervoriza) a las creyentes, a la vez que las enseña a acercarse a la Virgen y, por intermedio Suyo, a Dios. La jerónima juega de nuevo el papel de Eco; mima, imita la función intercesora de la Virgen ante Dios, es decir, se otorga a sí misma el papel de intermediaria entre los devotos y la Virgen. Su "bajeza", su indignidad es semejante a la proclamada por todos los "esclavos de Dios", quienes han asumido esa posición jerárquica como expresión de su libre albedrío; vuelve a remedar la posición de María, quien, a su vez, y también por su propia voluntad, es la Esclava de Cristo. La boca que pide es "inmunda" y la pluma que escribe es baja, rastrera. La posibilidad de ascensión se inscribe en esa humildad proclamada a los cuatro vientos. Otro elemento fundamental es el uso de la prosa en lugar del verso. En verso, como en algún lugar lo proclama el padre Méndez Plancarte se aceptan licencias poéticas extremas (hasta blasfemas), no así en la prosa sujeta a una menor flexibilidad semántica, y a mayor precisión canónica, pues es, recuérdese, grave y severa la forma de lenguaje utilizada en los sermones y en la mayoría de los discursos edificantes. Los ejercicios se manejan a manera de preceptiva, dictaminan el modo de la interlocución con Dios y las acciones físicas necesarias para reforzar el diálogo, o por lo menos para asegurarse la atención de la divinidad. Esa interlocución se interrumpe a menudo por intromisiones subjetivas de quien distribuye, persuade, sugiere. De esas intromisiones se saca una conclusión: el trabajo de quien formula los ejercicios recibe un pago: "Sólo pido a los que en esto se ejercitaren, *me paguen este pequeño trabajo en acordarse de mí en sus oraciones, deuda a que desde luego me constituyo acreedora delante del Señor*" (*EE*, p. 477). Este pago, esta contabilidad, esta administración de la salud del alma, este juego de debe y haber subraya las coincidencias y hace más patentes las diferencias: por la factura del Arco, como ella llama al *Neptuno alegórico*, ha recibido "con afecto agradecido" una cantidad grande de dinero, descrito con entusiasmo:

> No ha sido Arco en realidad / quien mi pobreza socorre, / sino arcaduz, por quien corre / vuestra liberalidad. / De una llave la lealtad, / a ser custodia se aplica / del caudal que multiplica / quien oro me da por cobre, / pues por un Arco tan pobre / me dais una arca tan rica (Décima 115, I, p. 251).

La liberalidad será ahora divina, el caudal religioso: recuérdese que la simple lectura de ciertos textos daba réditos, un número de días de indulgencias por página, multiplicada según la asiduidad de los lectores. Un ejemplo *ad hoc* sería el de las indulgencias concedidas por leer el *Destierro de ignorancias* del Padre Lumbier que, supuestamente fue mandado imprimir en la Nueva España por el arzobispo Aguiar y Seijas para neutralizar los efectos nocivos que la publicación de la *Crisis* y la *Respuesta a Sor Filotea* de Sor Juana podía haber tenido sobre las otras monjas.[12]

Este vocabulario aritmético y comercial que contabiliza y pesa las acciones de acuerdo a una balanza de pagos es formulado, con exactitud, por el padre Calleja al relatar la "conversión" final:

> *Entró ella en cuentas consigo, y halló que la paga*, sólo puntual en la observancia de la ley, que había buenamente procurado hasta entonces hacerle a Dios, no era generosa satisfacción a tantas mercedes divinas, *de que se reconocía adeudada*, con que trató de no errar para en adelante los motivos de buena, de excusar lo lícito, y empezar las obras de *superogación*, con tal cuidado como si fuesen de precepto.[13]

En contraste con la apretada, casi pétrea, estructura económica de los ejercicios preconizados por Ignacio de Loyola y, más tarde, por sus seguidores (entre los que se cuenta el padre Núñez), Sor Juana es más elástica y mucho más flexible: clasifica a los devotos según sus posibilidades, y a cada uno le asigna tareas que "puedan conmutar a su arbitrio". El ejercicio razonado del libre albedrío, condición del ser racional, en donde incluye a las mujeres y a los indios ("Los indios herbolarios / de mi patria" de sus *Romances*; los indios de los villancicos; los de la Loa del *Divino Narciso*), la obliga a tomar en cuenta las discrepancias –también naturales– de los devotos a quienes van destinados los *Ejercicios de la Encarnación*. Con todo, a pesar de la blandura que revela su discreción, es decir, su capacidad de entender las diferencias humanas ("porque todo género de personas los puedan hacer"), los ejercicios tocan áreas muy diversas de la personalidad de los practicantes y su rigor alcanza el alma y también el cuerpo: "Humíllese y advierta cuán vil polvo es; proponga la enmienda, y para que la Luz Purísima de María se la alcance, récela una salve y nueve veces la Magnificat, *boca en tierra*" (p. 479).[14]

La correspondencia entre cuerpo y alma es entonces irreductible; imposible separar lo pensado –la meditación, las oraciones– de lo actuado –la penitencia–. Sin el acto, lo pensado carece de efectividad. El arrepentimiento de Sor Juana por su excesiva mundanidad y la decisión de ayudar a Dios a que la convierta en santa debe ser manejada por los otros con estridencia, exhibirse, comentarse, volverse la comidilla de la ciudad, producir *ruido*, de la misma manera en que antes "volaba la fama de su habilidad nunca vista" (Calleja). La conversión exige pruebas materiales exhibidas como cuerpos del delito: vender sus joyas, sus instrumentos musicales, sus libros, y con su propia sangre rubricar esa conversión; se abandonan los estudios humanos, y se prosigue, desembarazada de los afectos terrenales, el camino de la perfección. Ese ejercicio de imitación de la divinidad, ese caminar por el sendero de la perfección, lleno de espinas, que ahora se elige, está teñido de sangre; "la preciosísima sangre derramada" por Cristo debe tener su correspondencia en la propia corporeidad y en el derramamiento de la propia sangre, de allí los cilicios, los flagelos, las penitencias. Un nuevo contraste se provoca entre el bullicio producido en "el mundo" por quienes se adjudican la victoria inmensa de haber ganado un alma semejante para la santidad,[15] y la batalla que Sor Juana, "armada de su desnudez" y privada de sus "quitapesares", los libros, emprendió con su propio cuerpo:

> ...Y fue la victoria más continua que consiguió de sí, no querer entre sus hermanas religiosas parecer muy espiritual en nada, procurándolo ser en todo: más siendo fuerza que tantos ayunos y penitencias como hacía, pintasen hacia el rostro, se esforzaba más a bañarle de su agrado antiguo y dulcísima labia, proque no fuese que la estimación de virtuosa la empeorase con la vanidad del estado de tibia (Calleja, *Op. cit.*).

Cortar la pluma, hundirla en el tintero y modular esa escritura "algo razonable" se ha convertido en un acto ominoso. Para redimirlo cabe solamente otra acción, imitando la primera. Esa acción corta las venas, moja en ellas la pluma e inscribe en el propio cuerpo y en el libro de profesiones del convento una anulación, una mudez, un "borramiento": el silencio.

# NOTAS

## PRIMERA PARTE: LA CONQUISTA Y EL FRACASO

### I. LAS VICISITUDES DEL TEXTO

1. "Un gran filósofo e historiador describe así este proceso: Américo Vespucci, el Descubridor llega del mar. De pie, y revestido con coraza, como un cruzado, lleva las armas europeas del sentido y tiene detrás de sí los navíos que traerán al Occidente los tesoros de un paraíso. Frente a él, la india América, mujer acostada, desnuda, presencia innominada de la diferencia, cuerpo que despierta en un espacio de vegetaciones y animales exóticos [...]" Esta imagen erótica y guerrera tiene un valor casi mítico, pues representa el comienzo de un nuevo funcionamiento occidental de la escritura [...] Pero lo que se esboza de ésta es una colonización del cuerpo por el discurso del poder, la escritura conquistadora, que va a utilizar al Nuevo Mundo como una página en blanco (salvaje) donde escribirá el querer occidental. Michel de Certeau, *La escritura de la historia*, México, Universidad Iberoamericana, 1985.

2. Hernán Cortés, *Cartas de Relación*, Editorial Porrúa, México, 1976.

3. Francisco López de Gómara, *Historia de las Indias y Conquista de México*, Biblioteca Ayacucho, Caracas, 1979 (prólogo y cronología de Jorge Gurría Lacroix).

4. Bernal Díaz del Castillo, *Historia verdadera de la Conquista de la Nueva España*, Editorial Patria, México, 1983. (Edición, índices y prólogo de Carmelo Sáenz de Santa María. Los subrayados son míos y modernizo la ortografía.)

5. En su prólogo a la obra de Gómara, Jorge Gurría advierte por ejemplo que éste utiliza casi literalmente varios capítulos de la Relación del conquista-

dor Andrés de Tapia, (en Carlos Martínez Marín, ed. "Crónicas de la conquista", en *Clásicos de la literatura mexicana, Los cronistas: conquista y colonia*, Promexa, México, 1992, 2ª ed. pp. 437-470) y, probablemente también de Motolinía, a través de la relación que Hernán Cortés tuvo con los franciscanos y el apoyo que éstos le dieron siempre. Cfr. pp. XII, XIII y XIV.

6. Georges Baudot, *Utopía e Historia en México. Los primeros cronistas de la civilización mexicana (1520-1569)*, Espasa Calpe, Madrid, 1983.

7. Hernando Colón, *Vida del Almirante Don Cristóbal Colón*, escrita por su hijo, Fondo de Cultura Económica, México, 1984, primera reimpresión, p. 178.

8. Citado en Blas Matamoro, *Lope de Aguirre. La aventura del Dorado*, 1986, pp. 120-121.

9. Sobre este tema existen varios ensayos que aclaran diversas facetas de la polémica Bernal-Gómara. Cito a Ramón Iglesia: "Las críticas de Bernal Díaz del Castillo a la Historia de la conquista de México, de López de Gómara", en *El hombre Colón y otros ensayos*, FCE, México, 1986, pp. 109-158. Robert E. Lewis, "Retórica y verdad: Los cargos de Bernal Díaz a López de Gómara", en *De la crónica a la nueva narrativa mexicana*. Coloquio sobre literatura mexicana, Ed. Oasis, México, 1986, (ed. Merlin H. Forster, Julio Ortega.) pp. 37-47. Sonia Rose de Fuggle, "El narrador fidedigno: problemas de autocreditación en la obra de Bernal Díaz del Castillo", en *Literatura mexicana*, vol. I, núm 2, México, 1990, pp. 327-348. Alfonso Mendiola Mejía, *Bernal Díaz del Castillo: verdad romanesca y verdad historiográfica*, UI, México, 1991.

10. Un escribano, según decían las *Siete partidas* de Alfonso X, es "ome que es sabidor de escrevir, e son dos maneras de ellos. Los unos que escriven los privillejos, e las cartas, e las actos de la Casa del Rey; e los otros, qiue son los escribanos publicos, que escriven las cartas de las vendidas, e de las compras, e de los pleitos, e las posturas que los omes ponen entre sí, en las Cibdades e en las Villas", Tercera partida, Tít. IX, Ley I, cit. en Jorge Luján Múñoz, *Los escribanos en las Indias occidentales*, UNAM e Instituto de Estudios y Documentos Históricos, A.C., México, 1982, p. 29.

11. Cfr. Beatriz Pastor, *Discurso narrativo de la Conquista de América*, Casa de las Américas, La Habana, 1983, pp. 139-140.

12. Juan Díaz, *Itinerario de la Armada del Rey Católico a la Isla de Yucatán, en la India, en el año 1518, en la que fue Comandante y Capitán General Juan de Grijalva*. Escrito para su Alteza por el Capellán Mayor de la dicha

Armada, en Carlos Martínez Marín, "Crónicas de la conquista", en *Clásicos de la literatura mexicana, Los cronistas: conquista y colonia*, Promexa, México, 1992 (2ª ed.), pp. 3-36.

13. Ángel Rama, *La ciudad letrada*, Ed. del Norte, Hanover, 1984, (Introducción de Mario Vargas Llosa; prólogo de Hugo Achúgar), p. 13.

14. Francisco de Aguilar, fray, *Relación breve de la conquista de la Nueva España*, UNAM, México, 1988 (Edición, estudio preliminar, notas y apéndices de Jorge Gurría Lacroix), p. 63.

15. Ver Bernal, *Op cit.*, Bernardino Vázquez de Tapia, *Relación del Conquistador...*, Editorial Polis, México, 1939 (publicada por Manuel Romero de Terreros); Mendiola, *Op. cit.*, p.130.

16. Cfr. Bernardo Pérez Fernández del Castillo, *Historia de la escribanía en la Nueva España y del notariado en México*, Porrúa, México,1988, 2ª ed. (prefacio de Manuel Borja Martínez), pp. 32-34 y José Luis Martínez, *Hernán Cortés*, FCE-UNAM, México, 1990: "Aquellos latines salmantinos le servirían para dar empaque a su trato con abogados y hombres cultos, y las formas y usos curiales que aprendió con el escribano, le serían de enorme utilidad a quien debería pasar gran parte de sus años futuros dictando cartas, relaciones, memoriales, alegatos, ordenanzas, provisiones e instrucciones", (p. 114). Beatriz Pastor explica muy bien cómo la misión de Cortés y su propia función dentro de la expedición están perfectamente delimitadas notarialmente por Velázquez; *Op. cit.*, pp.139-144.

17. Cfr. de nuevo Pastor, pp. 145 y ss. Bernal consigna este incesante intercambio. Acaba de aparecer un estudio minucioso y profundo de este género epistolar que también tiene que ver con la figura de Cortés y la encomienda: Pierluigi Crovetto, *I Segni del Diavolo e i Segni di Dio*, La carta al Emperador Carlos V (2 gennaio 1555) di Fray Toribio Motolinia, Bulzoni, ed., Roma, 1992.

18. Cfr. Todorov: "Lo primero que quiere Cortés no es tomar, sino comprender", *Op. cit.*, p. 107.

19. Michel de Certeau, *La escritura de la historia*, UI, México, 1985, p. 227.

## II. LENGUA Y CONQUISTA

1. Hernán Cortés, *Cartas de relación*, Editorial Porrúa, México, 1976. Todas las citas provienen de estas ediciones. Salvo indicación especial, todos los subrayados son míos.

2. Bernal Díaz del Castillo, *Historia Verdadera de la Conquista de la Nueva España*, Editorial Patria, México, 1983.

3. Bartolomé de las Casas, *Historia de las Indias*, FCE, México, 1976, 3 vol, (texto al cuidado de Agustín Millares Carlo, estudio preliminar de Lewis Hanke).

4. Francisco López de Gómara, *Historia general de las Indias*, Conquista de México, Ed. Orbis, Barcelona, 1985, p. 47.

5. Tzvetan Todorov, *La Conquista de América, la cuestión del otro*, Siglo XXI, México, 1987.

6. Georges Baudot, *Utopía e Historia en México. Los primeros cronistas de la civilización mexicana (1520-1569)*, Espasa Calpe, Madrid, 1983.

7. "Por otra parte –dice José Luis Martínez (*Op.cit.*, p. 143)–, las Instrucciones de Velázquez [...] tienen otros aspectos interesantes. Parecía ser un hombre muy religioso y preocupado por la rectitud moral, la de la época. En el ítem 2° prohíbe a los expedicionarios tener 'acceso ni coito carnal con ninguna mujer, fuera de nuestra ley', lo que no parece haberse acatado, y que explica por qué los españoles bautizaban a las indias como primera providencia".

8. El conquistador Anónimo, en *Clásicos de la literatura mexicana, Los cronistas: conquista y colonia*, Promexa, México, 1992 (2a. ed.), p.402.

9. Cfr. Ángel Rama, *La ciudad letrada*, Ediciones del Norte, Hanover, 1985.

## III. CIUDAD Y ESCRITURA: LA CIUDAD DE MÉXICO EN LAS CARTAS DE RELACION DE CORTÉS

1. Hernán Cortés, *Cartas de relación*, Editorial Porrúa, México, 1976. La paginación se incluirá en el texto y corresponde a esta edición. Es importante consultar el primer capítulo intitulado "La ciudad ordenada", sobre la fundación de ciudades durante la conquista, en el libro de Ángel Rama, *La ciudad letrada*, Ed. del Norte, Hanover, 1984, (Introducción de Mario Vargas Llosa; prólogo de Hugo Achúgar): "Una ciudad, previamente a su aparición en la

realidad, debía existir en una representación simbólica que obviamente sólo podían asegurar los signos: las palabras que traducían la voluntad de edificarla en aplicación de normas y, subsidiariamente, los diagramas gráficos, que las diseñaban en los planos, aunque con más frecuencia, en la imagen mental que de esos planos tenían los fundadores, los que podían sufrir correcciones derivadas del lugar o de prácticas inexpertas. *Pensar la ciudad* (sub. en el texto) competía a esos instrumentos simbólicos que estaban adquiriendo su presta autonomía, la que los adecuaría aún mejor a las funciones que les reclamaba el poder absoluto", p. 8. Comparado con los otros cronistas de la conquista, y con sus predecesores en la conquista de las islas y Tierra Firme, Cortés se revela como un político moderno. Este dato, ahora muy reiterado, se advierte en esta idea suya de prefigurar la ciudad simbólica, antes de su existencia real y que de manera concisa e inteligente fue formulada por Rama. Por su parte, Todorov, en contra de una tendencia a heroificar a Cortés, presente en varios cronistas, por ejemplo, Gómara y, en algunos de los historiadores modernos, piensa que: "Es impresionante el contraste en cuanto Cortés entra en escena: más que el conquistador típico, ¿no será un conquistador excepcional? Pero no: y la prueba es que su ejemplo será seguido de inmediato, y por todas partes, aunque nunca lo igualan. Hacía falta un hombre de dotes excepcionales para cristalizar en un tipo único de comportamiento elementos que hasta entonces habían sido dispares; una vez dado el ejemplo, se impone con rapidez impresionante". Tzvetan Todorov, *La Conquista de América, la cuestión del otro*, Siglo XXI, México, 1987, p. 107.

2. Bernal Díaz del Castillo, *Historia Verdadera de la Conquista de la Nueva España*, Editorial Patria, México, 1983, p. 144.

3. Las ciudades indígenas suelen desaparecer muy a menudo en el cuerpo de las crónicas, antes de su verdadera desaparición histórica. Abundan, tanto en Cortés como en Bernal y otros cronistas, datos al respecto. Me he conformado con citar una nota muy corta. Cabe agregar que este procedimiento forma parte de una especie de prontuario oral o escrito del que se valen los conquistadores para efectuar sus conquistas. Cortés es quizá quien, como Bach, refina al máximo los procedimientos para hacerlos ejemplares.

4. José Luis Martínez, *Hernán Cortés*, FCE, México, 1990, p. 389.

5. Fray Diego Durán, *Historia de las Indias de Nueva España y Islas de la Tierra Firme*, Editora Nacional, México, 1951, t. I. cap. IV.

6. Fray Bernardino de Sahagún, *Historia general de las Cosas de la Nueva España*, Editorial Porrúa, México, 1956, t. III, Libro décimo.

7. José Luis Martínez, *Op. cit.*, p. 310. Rama, en la obra antes citada, explica: "De conformidad con estos procedimientos, las ciudades americanas fueron remitidas desde sus orígenes a una doble vida. La correspondiente al orden físico que, por ser sensible, material, está sometido a los vaivenes de construcción y de destrucción, de instauración y de renovación, y sobre todo, a los impulsos de la invención circunstancial de individuos y grupos según su momento y situación. Por encima de ella, la corrrespondiente al orden de los signos que actúan en el nivel simbólico, desde antes de cualquier realización, y también durante y después, pues disponen de una inalterabilidad a la que poco conciernen los avatares materiales. Antes de ser una realidad de calles, casas y plazas, las que sólo pueden existir y aun así gradualmente, a lo largo del tiempo histórico, las ciudades emergían ya completas por un parto de la inteligencia en las normas que las teorizaban, en las actas fundacionales que las estatuían, en los planos que las diseñaban idealmente, con esa fatal regularidad que acecha a los sueños de la razón y que depararía un principio que para Thomas More era motivo de glorificación...." p. 11-12.

8. Beatriz Pastor, *Discurso narrativo de la conquista de América*, Casa de las Américas, La Habana, 1983.

9. George Kubler, *Arquitectura mexicana del Siglo XVI,* FCE, México, 1982, p. 76.

10. Francisco Cervantes de Salazar, *México en 1554*, UNAM, México, 1984 (traducido del latín por Joaquín García Icazbalceta), p. 48.

IV. LAS CASAS, LA LITERALIDAD DE LO IRRACIONAL

1. Anthony Pagden, *La caída del hombre natural*, Alianza América, Madrid, 1988, p. 35.

2. Tzvetan Todorov, *La Conquista de América, la cuestión del otro*, Siglo XXI, México, 1987, p. 157.

3. Edmundo O'Gorman, *Cuatro historiadores de Indias*, Sep-Setentas, México, 1972. Para O'Gorman la obra fundamental de Las Casas es la *Apologética*, "la expresión más madura y acabada de su pensamiento" (*Ibid.* 90). Du-

rante las últimas décadas, las crónicas de la conquista han despertado un gran interés entre los investigadores literarios, para sólo citar unos cuantos menciono a Walter Mignolo, "Texto y contexto discursivo: el problema de las crónicas indianas" en *Texto y contexto en la literatura hispanoamericana*, I, Gredos, Madrid, 1982, Enrique Pupo-Walker, *La vocación literaria del pensamiento histórico en América. Desarrollo de la prosa de ficción, siglos XVI, XVII, XVIII y XIX*, Gredos, Madrid, 1982; Pier Luigi Crovetto *et al*, "El naufragio en el Nuevo Mundo: de la escritura formulizada a la prefiguración de lo novelesco" en *Actes du Premier Colloque International du C.R.E.C.I.F* (Centre de Recherches et d'Etudes comparatistes Ibéro-Francophones), Sorbonne Nouvelle, París III: *Palinure*, Número especial 1986-1986; Pier Luigi Crovetto, "Álvar Núñez Cabeza de Vaca", en *Naufragios*, 1984. Por su parte, María Christen Florencia, *El caballero de la virgen*, UAM, México, 1988, se ocupa en aislar, como si se tratase de una narración autónoma –una novela–, las peripecias de Alonso de Hojeda en Indias tal y como las relata Las Casas.

4. Bartolomé de las Casas, *Historia de las Indias*, FCE, México, 1976 (Texto al cuidado de Agustín Millares Carlo, estudio preliminar de Lewis Hanke). La paginación corresponde a esta edición; la señalo en el texto.

5. Georges Baudot. *La vida cotidiana en la América española en tiempos de Felipe II, siglo XVI*, FCE, México, 1983, p. 180.

6. Cfr. otro pasaje de Las Casas (II, 389) donde una india da a un perro una carta para que la entregue a su amo, dirigiéndose a él respetuosamente como "Señor Perro". Estos pasajes han sido muy utilizados, en especial para confirmar la llamada *Leyenda Negra*. En este sentido, ver Eduardo Galeano, *Memorias del Fuego*: Tomo I: *Los nacimientos*, Siglo XXI, México, 1982.

7. Carl Otwin Sauer, *Descubrimiento y dominación española del Caribe*, FCE, México, 1984. Abunda la bibliografía sobre este tema. Escojo este libro porque sintetiza algunos de los procesos mas importantes de la historia de esa zona. Ver asimismo Pagden.

8. Cfr. Bataillon y Saint-Lu, *El padre Las Casas y la defensa de los indios*, Ariel, Madrid, 1976; C.H. Haring, *El imperio español en América*, Alianza Editorial Mexicana, Conaculta, México, 1990; Antonello Gerbi, *La naturaleza de las Indias Nuevas*, México, FCE, 1978.

9. Cfr. María Christen Florencia, *Op. cit.*, Marcel Bataillon y Andrés Saint-Lu, *Op. cit.*

10. Citado por Pagden, p. 177.

11. Cfr. Juan Ginés de Sepúlveda, *Tratado sobre las causas justas de la guerra contra los indios*, FCE, México: 1979; Silvio Zavala, *La filosofía política de la Conquista de América*, FCE, México: segunda edición corregida, 1972, y Bartolomé de Las Casas, *Apologética Historia Sumaria*, Edición preparada por Edmundo O'Gorman, Instituto de Investigaciones Históricas, México, 1967, 2 vols., (especialmente el prólogo de Edmundo O'Gorman).

12. Todorov, *Op.cit.*, p. 13.

## V. EL CUERPO INSCRITO Y EL TEXTO ESCRITO O LA DESNUDEZ COMO NAUFRAGIO: ÁLVAR NUÑEZ CABEZA DE VACA

1. Juan Gil, *Mitos y utopías del Descubrimiento: 1. Colón y su tiempo*. Alianza Universidad, Madrid, 1989, p. 267.

2. Álvar Núñez Cabeza de Vaca, *Naufragios*, ed. de Trinidad Barrera, Alianza Editorial, Madrid, 1985. Todas las citas incorporadas al texto provienen de esta edición y los subrayados, excepto aclaración en contrario, son míos. Pocas crónicas han provocado tanta admiración y perplejidad como ésta. Su brevedad, su ambigüedad, producidas tanto por el tema como por la estructura del relato, engendran una enorme multiplicación semántica, gracias a la combinación a veces estratégica y a veces inconsciente de silencios y verbalización.

2 a. *Naufragio*: El hacerse pedazos el navío... Díjose de *navis* y *frango, is, quasi navis fractura*,y lo mismo es ser hundida con las olas. Sebastián de Cobarruvias, *Tesoro de la Lengua castellana o Española*..

3. Después de escribir mi primera versión del texto, presentado en el Convegno Uomini dell'Altro Mondo, organizado en la Universidad de Siena por mi querido amigo Antonio Melis, en marzo de 1991, recibí algunos trabajos que tocaban en parte algunas de las líneas del mío. Pude por ello complementar y muchas veces aclarar mis propias ideas, y, sobre todo, intensificar ese diálogo subterráneo que propicia la lectura de otra textualidad. En esta versión incorporo, en notas al pie de página, las citas y los comentarios que me sugirieron sus ensayos. Es de notar que existe una especie de texto colectivo cuyos autores van retomando ideas de textos anteriores que se desarrollan y profundizan. En este caso estarían sobre todo Cesare Acutis, Introduzione a

Álvar Nuñez Cabeza de Vaca, *Naufragi* (a cura di Luisa Pranzetti), Einaudi, Torino, 1989; Luisa Pranzetti, "Il Naufragio come metafora", en *Ispanoamericana*, anno I, no. 1, inverno, 1980; Pier Luigi Crovetto, en Álvar Núñez Cabeza de Vaca, *Naufragi*, note al testo di Daniela Carpani Milan, Cisalpino-Goliardica, 1984; Pier Liugi Crovetto *et al.* (Raúl Crisafio, Ernesto Franco) "El naufragio en el Nuevo Mundo: de la escritura formulizada a la prefiguración de lo novelesco" en *Actes du Premier Colloque International du CRECIF* (Centre de Recherches et d'Études comparatistes Ibéro-Francophones, Sorbonne Nouvelle, *Palinure*, numéro spécial, París, 1986-1986; Silvia Molloy, "Alteridad y reconocimiento en los *Naufragios* de Álvar Nuñez Cabeza de Vaca, en *Nueva revista de filología hispánica* XXXV, núm 2, México, 1987. En otro contexto y por lo que se refiere a mi propio ensayo he utilizado a Silvia Benso, *La conquista di un testo*: *Il Requerimiento*. Bulzoni editores, Roma, 1989; y a Giulia Lanciani, *Os relatos de naufrágios na literatura portuguesa dos séc. XVI e XVII*, Instituto de Cultura Portuguesa, Lisboa, 1979. Desde el punto de vista de la narratología están los textos de Vito Galeota, "Apunti per una analisis letteraria di *Naufragios* di Á. Núñez Cabeza de Vaca", estratto dagli *Annali dell'Istituto Universitario Orientale*, Sezione Romanza, XXV, 2, Napoli, 1983 y "Alcuni osservazioni sul rapporto storia / letteratura in *Naufragios* di Álvar Núñez Cabeza de Vaca, estratto da *Medioevo Saggi e Rassegne*, 8, s.f. (1984-5?). Una visión etnológica es la de Massimo Squillacciotti, *Introduzione a 1492-1992 L'altra storia*: *la conquista dell'America.* (ensayo sobre la cultura y los movimientos indígenas latinoamericanos), en *Quaderno di Latinoamerica*, suplemento a anno XI, no. 39, Roma, luglio, 1990; también R.E. Lewis, "Los *Naufragios* de Álvar Núñez: historia y ficción, en *Revista Iberoamericana*, XLVIII, 1982. Ver David Lagmanovich, "Los Naufragios de Álvar Núñez como construcción narrativa", *Kentucky Romance Quarterly*, 1978, pp. 27-37; Antonio Carreño, "*Naufragios*, de Álvar Núñez Cabeza de Vaca: una retórica de la crónica colonial", *Revista Iberoamericana*, julio-septiembre, 1987, vol LIII, núm. 140, pp. 499-516. Llegó a mis manos, ya escrito este artículo, el texto de Rolena Adorno, "The Negotiation of Fear in Cabeza de Vaca's *Naufragios*, *Representations*, 33, University of California, invierno, 1991. Consigno además, el ensayo de Enrique Pupo-Walker, "Pesquisas para una nueva lectura de los *Naufragios* de Álvar Núñez Cabeza de Vaca", *Revista Iberoamericana*, núm. 140, julio-septiembre, 1987, pp 517-39; y, del mismo autor, "Los *Naufra-*

*gios* de Álvar Núñez Cabeza de Vaca; notas sobre la relevancia antropológica del texto", *Revista de Indias*, 47, núm 181, 1987, pp. 755-76.

4. Cfr. Cesare Acutis, *Op. cit*., "Rimpatriato, Álvar Núñez riferisce, dall'interno dell'Istituzione, la sua vicenda fuori dell'Instituzione; *vestito*, racconta la storia di Álvar Núñez *nudo*" (salvo indicación en contrario, todos los subrayados son míos), p. 82. La utilización de la relación como servicio ha sido analizada por muchos autores, la mayor parte de ellos mencionados en las notas anteriores, en especial Barrera, Crovetto, Pranzetti, Molloy. Es de notar que Álvar Núñez no se contenta sólo con ofrecer su texto como servicio, al finalizar su aventura deja explícito otro servicio de gran importancia para su Rey, la evangelización y pacificación de los indígenas de la zona de Culiacán, llamada entonces San Miguel, evangelización que, como se deduce de sus palabras, no había sido posible lograr por los desmanes de las huestes del tirano Nuño Beltrán de Guzmán. Oigamos sus palabras: "Y nosotros les mandamos que hiciesen iglesias y pusiesen cruces en ellas, *porque hasta entonces no lo habían hecho*. E hicimos traer los hijos de los principales señores y bautizarlos. [...] Y después de bautizados los niños nos partimos para la villa de San Miguel, donde como fuimos llegados vinieron indios que nos dijeron cómo mucha gente bajaba de las tierras y poblaban en lo llano y hacían iglesias y cruces y todo lo que les habíamos mandado, y cada día teníamos nuevas de cómo esto se iba haciendo y cumpliendo más enteramente" (p.166).

5. Gonzalo Fernández de Oviedo, *Historia general y natural de las Indias*, Biblioteca de Autores Españoles, (estudio preliminar y notas de Juan Pérez de Tudela), Madrid, 1959, Tomo I, Proemio, p. 94.

6. Cfr. Vito Galeota, Appunti... *Op. cit*: "in alcuni momenti il narratario e definito e nominato, si tratta del destinatario nominale della relazione, el re de Spagna, che nel testo figura come 'Vuestra Majestad'; in altri el narratore indica col pronome indefinito 'cada uno; in altri ancora il narratore non dà alcuna indicazione dell'interlocutores al quale rivolge il suo discorso" (p. 493).

7. Cfr. Galeota, *Ibid*., p. 483.

8. Sor Juana Inés de la Cruz, *Obras completas*., 4 vol, FCE, Biblioteca Americana (edición de Alfonso Méndez Plancarte, tomos I, II, y III; *Respuesta a Sor Filotea*, Tomo IV, edición de Alberto G. Salceda), México, 1955. t. IV, Comedias, Sainetes y Prosa, primera reimpresión, 1976.

9. Cfr. Crovetto, *et al*., 1985-86, "La experiencia entre los bárbaros se re-

fleja en la misma textura escritural y satura los *Naufragios* en sus estructuras profundas. Las indicaciones topológicas se difuminan y se hacen indeterminadas. Las referencias a los puntos cardinales pierden toda consistencia. Más sintomática todavía es la indistinción de las referencias a indicadores cronológicos. La calendariedad del texto burocrático es sustituida por alusiones al paso de las estaciones del año, por los ritmos y las pautas de una rudimentaria economía de recolección y de caza...", p. 38. Varios investigadores han notado este aspecto; sería útil examinarlos a la luz de la teoría de la recepción.

10. Cfr. Acutis, Crovetto, Pranzetti, Molloy, *Op. cit.*

11. Cfr. Crovetto, 1985-86: "La misma escritura se hace *espacio* en que la memoria estructuradora se confronta con el referente desestructurado, pugna con lo inefable por inédito y lo configura. Lo *ob-sceno* y lo *ab-norme* se convierten en maravilloso y raro. Se producen en esos segmentos fisuras textuales a través de las cuales el discurso de una posible *novela* (el discurso cuya verdad reside en la averiguación que el mismo yo-autor de la obra confiere) se insinúa en las mallas raídas del texto historiográfico y los modifica sin posibilidades de retorno" (p. 38, subrayado por los autores). Pupo-Walker, "Notas para..." p. 174-175, se refiere al concepto de memoria en la antigüedad clásica y en el humanismo renacentista. Lewis (*Op. cit*) se refiere a los procesos de olvido que la larga estancia de los supérstites en esas tierra engendra y que produce en el texto imprecisiones temporales e informativas.

12. Cfr. Silva Benso, "Il primo approccio tra spagnoli e indiani si basa dunque su una relazione commerciale, si fonda sul'atto del barattare, dello scambiare traendo vantaggio. Tale operazione si indicava con il termine de *rescate*..." (p. 18, subrayado en el texto). Ver la definición que da implícitamente Francisco López de Gómara en Historia General de las Indias cuando dice, hablando de Juan de Grijalba: "...rescató por cosas de poco valor mucho oro" y reitera "...cambió su mercería por piezas de oro, mantas de algodón y plumajes..." Ediciones Orbis, Barcelona, 1985, t. II, p. 17.

13. Cfr. Beatriz Pastor, *Discurso narrativo de la Conquista de América*, Casa de las Américas, La Habana, 1983, p. 302. "La solución a todas estas imposibilidades pasa por una serie de acciones que marcan la destrucción simbólica del modelo de conquista y la transformación del conquistador en artesano".

14. Cfr. Crovetto, *Op. cit*: "E colui che 'salió desnudo' da così dure prove,

soltanto rivestito dal *testo della sua esperienza* (dal libro, concretamente) celebra, per questo medesimo tramite, se stesso quale proiezione del sovrano, riccetacolo e trasmissore della sua sacralitá e della missione che ad essa inscrisce", p. 20. Véase también Pranzetti y Molloy, art. cit.

15. En este sentido es bien significativo un pasaje de Francisco López de Gómara (*Conquista de México*, Madrid, 1946, p. 451): "Hanles enseñado latín y ciencias, que vale más que cuanta plata y oro les tomaron; porque con letras son verdaderamente hombres y de la plata no se aprovechaban mucho ni todos. No tenían peso, que yo sepa, los mexicanos: falta grandísima para la contratación" (Citado en Pier Luigi Crovetto, *La visión del indio de los viajeros italianos por la América del Sur*, Sevilla, 1990, p. 17).

16. Cfr. Juan Gil. Sintómaticamente, otro náufrago Hernando de Escalante Fontaneda, cautivo entre los indios de esa región de 1551 a 1574 recuerda en sus memorias, "con la autoridad de la leyenda", haberse bañado en varios ríos aunque nunca en el mítico Jordán, descubierto en repetidas ocasiones en América por los exploradores españoles, *Ibid.*, p. 280.

17. En una nota del prólogo de la edición que estoy utilizando, Trinidad Barrera observa: "La descripción de la zona semeja más bien a un paraíso terrenal por la múltiple variedad de especies animales. Si era tan rica la tierra, no se explica que pasaran tanta hambre. Por ello nos inclinamos a pensar que se trata de una descripción literaria, p. 81; *véase*, además, el texto de Juan de Castellanos, contemporáneo de Ponce de León, citado por Juan Gil, p. 267: "Decían admirables influencias / De sus floridos campos y florestas / No se vían aún las apariencias / de las cosas que suelen ser molestas, / Ni sabían que son litispendencias, / Sino gozos, placeres, grandes fiestas / Al fin nos las pintaban de manera / Que cobraban allí la edad primera".

18. Cfr. Silvia Molloy, *Op. cit.*

19. Juan Gil, *Op. cit.* p. 281.

20. Crovetto, *et al.*, Silvia Molloy, *Op. cit.*; Enrique Pupo-Walker, "Pesquisas para una nueva lectura de los *Naufragios* de Álvar Núñez Cabeza de Vaca", *Revista Iberoamericana*, núm. 140, julio-septiembre, 1987, pp. 517-539. *Nueva revista de filología hispánica*, XXXVIII (1990), núm.1, 163-196, y del mismo autor "Notas para la caracterización de un texto seminal: Los *Naufragios* de Álvar Núñez Cabeza de Vaca"; Rolena Adorno, "The Negotiation..." *Op. cit.* Destaca Jacques Lafaye: "Los 'milagros' de Álvar Núñez Cabeza de

Vaca (1527-1536)" en *Mesías, cruzadas, utopías. El judeo cristianismo en las sociedades ibéricas*, FCE, México, 1984, pp. 65-84; La fama de milagrero de Cabeza sobrepasa todas sus otras acciones y se convierte desde su llegada a España y, después, a lo largo de los siglos, en su recepción posterior, es su principal definición: los autores mencionados se interesan de manera especial en este aspecto. Véase un ejemplo reciente, la película de Nicolás Echevarría, *Cabeza de Vaca* (1990), centrada exclusivamente en el chamanismo.

21. En su artículo recién mencionado (*véase* nota 19, *supra*), Rolena Adorno cita otros trabajos de Maureen Ahern, aún inéditos, que tienen como tema la calabaza ritual que aparece en Cabeza de Vaca en los últimos capítulos de los *Naufragios*: "Signs of Power: The Cross and the Gourd in the *Relaciones* de Álvar Núñez Cabeza de Vaca and Fray Marcos de Niza", Ponencia presentada en el Symposium on Colonial Literature and Historiography, Kentucky Modern Language Conference, 22 de abril, 1985, Lexington, inédita. Y, finalmente, "Cruz y calabaza: The appropiation of Ritual Signs in the *Relaciones* of Álvar Núñez Cabeza de Vaca and Fray Marcos de Niza", que será publicado en *Early Images of the New World: Transfer and Creation*, editores Robert E. Lewis y Jerry M. Williams.

22. Cabeza de Vaca describe la situación de las mujeres dentro de sus diversas tribus en varios capítulos del libro: Cfr. pp. 102-106, 108, 114, 115, 119, 125, 126, 128, 133, 136, 138, 142, 144, 145, 147, 150, 154. Luego me referiré a algunas de las descripciones, si cuadran en el contexto que me interesa destacar aquí, aunque creo que sería necesario dedicarle más atención y paciencia a este tema para completar el esquema.

23. A este respecto es muy esclarecedor consultar el libro de Horst Kurnitzky, *La estructura libidinal del dinero*, Siglo XXI, México, 1978. Analiza la relación establecida entre los objetos que circulan como dinero en varias culturas llamadas primitivas y que ligados a las mujeres se ofrecen como dote cuando éstas se casan. "La represión de la sexualidad, representada por el sexo femenino reprimido, no sólo es la premisa de la cultura sino también de la riqueza social que es la base material de esa cultura... (p. 101). Cabeza de Vaca describe varios esquemas de matrimonio en donde esto se produce invariablemente. Cito uno a manera de ejemplo: "Cuando viene que alguno casa a su hija, el que la toma por mujer, dende el día que con ella se casa, todo lo que matare cazando o pescando, todo lo trae la mujer a la casa de su padre, sin

osar tomar, ni comer, alguna cosa de ello, y de casa del suegro le llevan a él de comer, y en todo ese tiempo el suegro, ni la suegra, no entran en su casa, ni él ha de entrar en casa de los suegros, ni cuñados..." (p. 103). *Véase también* p. 115: "Y cuando éstos se han de casar, compran las mujeres a sus enemigos, y el precio que cada uno da por la suya es un arco, el mejor que puede haber, con dos flechas..."

24. Rolena Adorno discute esta idea en "The Negotiation...". pp. 183-184 (cfr., nota 19), que se reitera varias veces en el texto: los españoles como seres sobrenaturales, los cuales, se dice, "vienen del cielo" o "son hijos del Sol". Para Adorno estas expresiones se refieren a un aspecto topográfico que señala una dirección, una procedencia; no constituyen, según ella, un calificativo que denote el carácter sobrenatural de los supervivientes cuando ya se han convertido en "físicos". Estoy de acuerdo con ella, pero también pienso que la ambigüedad característica de este libro prodigioso permite suponer como verdaderas ambas interpretaciones, comprobables según la propia textualidad. Tal es el caso de esta expresión en el contexto que subrayo en esta cita.

25. Silvia Molloy analiza este pasaje y desarrolla una idea muy interesante, a partir de una frase muy significativa de Cabeza de Vaca quien, al convertirse en jefe de la expedición, sencillamente dice "y así yo tomé el leme".

26. Rolena Adorno, "Cómo leer Mala Cosa: Mitos caballerescos y amerindios en los *Naufragios* de Cabeza de Vaca", inédito, 1991. Esta anécdota, para algunos intercalada por Núñez, ha suscitado gran perplejidad y ha sido explicada de diversas maneras por varios estudiosos, entre los que se cuenta a Rolena Adorno, Pupo-Walker, Crovetto, Molloy.

27. Rolena Adorno en su artículo inédito, antes citado, vincula a Mala Cosa con la tradición azteca y los sacrificios humanos, apoyada específicamente en una parte de la descripción que no he incluido en mi texto y que enseguida inserto. Mala Cosa realiza sus curaciones desmembrando y "sajando" a sus "pacientes": "...y tomaba al que quería dellos e dábale tres cuchilladas grandes por las hijadas con un pedernal muy agudo, tan ancho como una mano e dos palmos en luengo y metía la mano por aquellas cuchilladas y sacábales las tripas, y que cortaba de una tripa poco o más de un palmo y aquello que cortaba echaba en las brasas; y luego le daba tres cuchilladas en un brazo, e la segunda daba por la sangradura y desconcertábaselo, y dende a poco se lo tornaba a concertar y poníale las manos sobre las heridas; y decíanos que

luego quedaban sanos..." (p. 126). No tengo espacio ahora para ahondar en este punto, me contento por ello con mencionarlo, y con subrayar un hecho: Cabeza de Vaca asegura varias veces, a lo largo del texto que los indios de esas regiones no practican los sacrificios humanos, pero en la Isla de Malhado los españoles tienen al principio miedo de que esos indígenas los practiquen. También es cierto que en el proceso de curaciones se menciona el hecho de que en algunos casos se usaba la "sajadura", y si los niños lloraban eran sajados con dientes de ratón. *Véase, Op. cit.*, cap.12, pp. 97-100.

28. Pupo-Walker anota en su texto tantas veces citado: "No le es posible aludir por ejemplo, a la participación que como chamán pudo haber tenido en una gran variedad de ceremonias. Ni podía referirse a la intimidad que, sin duda, conoció con mujeres de aquellas tribus" (nota 61, p. 191). Cfr. el desarrollo de este tema en mi exposición. Como ya lo decía yo en la nota anterior, por razones de espacio y de tiempo, me es imposible ocuparme de esta última tarea específica de Mala Cosa. Quisiera hacerlo después en un ensayo más extenso; vuelvo a referir al lector al ensayo de Adorno, citado en la nota 26.

29. Véase Pupo-Walker, *Op. cit.*

30. El mismo Pupo-Walker (art. cit. p. 181) manifiesta su extrañeza al advertir que una acotación en tercera persona se agrega después de que Cabeza de Vaca ha puesto su firma para dar por terminado el relato "Lo firmé con mi nombre: Cabeza de Vaca. Estaba firmada de su nombre y con el escudo de sus armas la relación donde éste se sacó" (p. 170). Creo que se trata simplemente, como lo aclaro en mi ensayo, de una certificación notarial, corriente en la época y necesaria para el permiso de impresión.

31. Pupo-Walker indica esta anomalía, la inclusión de un relato en forma de apéndice que "completa" la historia lineal y la aparición de otro personaje enigmático, la mora de Hornachos, "Notas para...", p. 181 y nota 49.

32. Las "particulares relaciones" con que Cabeza de Vaca recupera a sus compatriotas y les da "honrosa sepultura" en la textualidad, se relata en los capítulos: 13, 14, 16, 17, 18, 22 y 38.

33. Claude Lévi-Strauss, *Antropología estructural*, Eudeba, Buenos Aires, 1970, p. 243.

34. Michel de Certeau, *La escritura de la historia*, UI, México, 1985, p. 243.

35. Oviedo, *Op. cit.*, t. I, p. 11.

36. Certeau, *Op. cit.*, p. 225.

37. En su último libro, *Nosotros y los otros*, Siglo XXI, México, 1991 (publicado originariamente en francés en París, Éditions du Seuil, 1989, con el título de *Nous et les autres, la Réflexion Française sur la diversité humaine*). Tzvetan Todorov retoma algunos de los temas que había trabajado en su libro anterior, *La Conquista de América, la cuestión del otro*. Siglo XXI, México, 1987 (publicado originariamente en francés, Ed. du Seuil, París, 1982, con el título de *La Conquête de l'Amérique, la Question de l'Autre*). En la calificación binaria que implica el título, la dicotomía *Nosotros y los otros*, o *Yo y el Otro en La Conquista...*, se incluye al tercer excluido colocado en una categoría neutra, dándole a ese término el significado que le dan Blanchot y Barthes "el plano de la acción, de la asimilación del otro o de la identificación con él, [por lo que...] Cabeza de Vaca también alcanza un punto neutro, no porque fuera indiferente a las dos culturas, sino porque las había vivido desde el interior; de repente a su alrededor ya no había más que 'ellos'; sin volverse indio, Cabeza de Vaca ya no era totalmente español" (Todorov, *La Conquista...*, p. 259). El hombre neutro sería entonces el tercer excluido, aquel que se ha quedado en medio, *entre ellos*, sin llegar a recuperar su antiguo estatus, el que estaba –según el que relata, Álvar Núñez– *entre nosotros*, es decir, los verdaderos *otros* (para el hombre americano), los europeos, es decir, los españoles.

38. Cfr. Juan López de Palacios Rubios, *De las islas del Mar Océano*, y Matías de Paz, *Del dominio de los Reyes de España sobre los indios*, (Edición de Silvio Zavala y Agustín Millares Carlo) FCE, México, 1954.

## SEGUNDA PARTE: SOR JUANA Y OTRAS MONJAS

### VI. LA CONQUISTA DE LA ESCRITURA

1. Citado por Francisco de la Maza, *Catarina de San Juan*, Consejo Nacional para la Cultura y las Artes, México, 1990, p. 49. Salvo indicación contraria, los subrayados de los textos son míos. La ortografía de los textos coloniales se ha modernizado.

2. Es obvio que entre las excepciones se cuenta a Santa Teresa y a Sor Juana Inés de la Cruz. "Descifra" los textos de las monjas, por ejemplo el padre

Oviedo, según aclara Andrés de Miguel en su dedicatoria al sermón escrito por el jesuita en ocasión de la muerte de una monja: Juan Antonio de Oviedo, *Los milagros de la cruz y maravillas del padecer. Sermón que en las solemnes honras que el día 26 de abril de 1728 le hicieron a la V. M. Sor María Inés de los Dolores*, José Bernardo de Hogal, México, 1728.

3. Carlos de Sigüenza y Góngora, *Parayso occidental*, Imp. de Juan de Rivera, México, 1684. Citado por Josefina Muriel quien avisa: "Entre todos los cronistas es éste el que escribe con más amor y respeto por la obra de las mujeres. En desacuerdo con los hombres de su época dice: 'No ignoro el que de ordinario las desprecian los varones ingenios, que son los que cuidan poco de Poliantheas'". Josefina Muriel, *Cultura femenina novohispana*, México, UNAM, 1982, p. 46. No obstante, el propio Sigüenza participaba de los prejuicios de su tiempo y, al hablar de Sor Juana, exclama hiperbólico, fijando una cuota: "...para manifestar al mundo cuánto es lo que atesora su capacidad en la enciclopedia y universalidad de las letras, para que se sepa que en un solo individuo goza México lo que, en los siglos anteriores, repartieron las Gracias a cuantas doctas mujeres son el asombro venerable de las historias..." *Teatro de Virtudes Políticas*, Miguel Ángel Porrúa, México, 1986, pp. 23-24. Por otra parte, debo añadir que el libro de Josefina Muriel, recientemente mencionado, así como sus demás textos sobre este tema, son clásicos y la mayor parte de los estudios que sobre monjas mexicanas se han hecho guardan una deuda con esta investigadora pionera. No soy yo una excepción. Muy esclarecedor es también el libro de Electa Arenal y Stacey Schlau, *Untold Sisters, Hispanic Nuns in their Own Works*, Albuquerque University of New Mexico Press, 1989. Debo subrayar que las autoras de este último libro han incluido, en la sección correspondiente a la Nueva España, numerosos materiales procedentes del libro de Muriel. Véase Jean Franco, *Plotting Women, Gender and Representation in Mexico*, Verso, Londres, 1989: en el capítulo I de su libro, intitulado "Writers in spite of Themselves" (pp. 3-22) se preocupa, entre otras cosas, por apuntalar una hipótesis que polemiza contra la tesis de Luce Irigaray quien, cuando al hablar de los arrebatos "místicos" de ciertas mujeres llamadas por ella "Mistéricas"(sobre todo las enclaustradas), piensa que su "gozo místico feminizaba también a los hombres que de él participaban" (Franco, *Op. cit.*, p. 6). Para Franco, "This 'femenine' power so threatening to masculine authority could actually be made to energize the church" (*Ibid.*, p. 6). Este aspecto de la escritura forzada y de la

escritura subordinada es planteado por Adriana Valdés en un ensayo inédito titulado "El espacio literario de la mujer en la colonia"; analiza a una monja chilena, Úrsula Suárez, quien presenta muy curiosas variantes de escritura. Otro trabajo esclarecedor en este sentido y sobre el mismo personaje es el de Rodrigo Cánovas, "Úrsula Suárez (Monja chilena, 1666-1749): La autobiografía como penitencia", en Separata, *Revista Chilena de Literatura*, Santiago, s.f. El tema de las monjas y sus actividades cotidianas ha sido trabajado sociológica e históricamente por varios autores; destaca Asunción Lavrín con numerosos trabajos, escojo uno: "Values and meanings of monastic life for nuns in colonial Mexico", *The Catholic Historical Review*, vol. LVIII, no. 3, October 1972. Cfr. asimismo el cuidadoso y fundamental estudio de Pilar Gonzalbo Aizpuru, *Las mujeres en la Nueva España. Educación y vida cotidiana,* El Colegio de México, México, 1989. Quiero aclarar que me parece que existe cierta confusión cuando se utiliza el término "mística" aplicado a las monjas que tenían arrebatos y visiones. Quizá se trate más bien, como dice Francisco de la Maza, (*Op cit.*, p. 9) de un fenómeno de ascetismo. A diferencia de los místicos del XVI, por ejemplo San Juan de la Cruz y Santa Teresa de Jesús, que no precisaban de flagelaciones ni de cilicios para su unión espiritual con Dios, las monjas "edificadas" del siglo XVII utilizaban esos métodos como ejercicio cotidiano para provocar las visiones, en un afán por imitar la Pasión de Cristo y comunicarse con él a través de los sentidos. Una ascética corporal de ese tipo provoca necesariamente delirios: "Con un Santo Cristo y un azote puede llegar a santo cualquiera", decía Santa Catalina de Siena. El ejercicio ascético al que se libraban las monjas de la Colonia procede sobre todo de los jesuitas y específicamente de San Ignacio de Loyola y tiene un antecedente –más tranquilo– en la *Imitación de Cristo* de Tomás de Kempis, quien instaura una metodología de la vida cotidiana. La bibliografía colonial mexicana está llena de textos de este tipo que se utilizan a manera de manuales. Es por demás singular verificar que algunas mujeres medievales utilizaban métodos parecidos: véase el sugerente estudio de Caroline Walker Bynum "The Female Body and Religious Practice in the Later Middle Ages" en *Fragmentation and Redemption, Essays on Gender and the Human Body in Medieval Religion,* Zone Books, Nueva York, 1991; Cfr. también Pilar Gonzalbo Aizpuru, *La educación popular de los jesuitas,* UI, México, 1989. Armados de una ambivalente autoridad, los confesores y los altos prelados exigían a las monjas ejercicios ascéticos "moderados" pero alababan a aquellas que se desmesuraban en esas prácticas, como puede probarse en numerosos textos de la época; cito un solo ejemplo, el antes mencionado Antonio de Oviedo y el Padre Núñez de Miranda.

4. Es necesario aclarar, sin embargo, que el Fondo Reservado de la Biblioteca Nacional de México, en el Ex Convento de San Agustín, consta de alrededor de cien mil documentos, muchos sin explorar; existen, además, varios archivos eclesiásticos y nacionales que no se han agotado de ninguna manera, incluyendo el Archivo General de la Nación con su gran riqueza de documentos manuscritos en todos los ramos. Josefina Muriel trabajó varios textos manuscritos, pero también reseña varios que sí fueron impresos. Kathleen Ann Myers escribió su tesis de doctorado y la intituló "Becoming a Nun in Seventeenth-Century Mexico: An Edition of the Spiritual Biography of Maria de San Joseph", vol. I, (Ph. D. Dissertation, Brown University, 1986) citado por Franco, (*Op. cit.*, p. 192). Existen, por otra parte, varios ejemplos de escritos devocionales debidos a varias monjas: Josefina Muriel los cita, escojo uno, Josefa de la Concepción, Sor, "Ejercicios de los desagravios de Cristo Señor Nuestro que se hacen en el convento de la Purísima Concepción de Nuestra Santísima Madre y Señora y comienzan el viernes después de nuestro Padre Señor San Francisco". Colegio Real de San Ignacio, Puebla, 1766, (*Op. cit.*, p. 516). Por supuesto,Sor Juana tiene varios escritos edificantes: Georgina Sabat-Rivers hace un análisis profundo de unos de ellos en su artículo "Ejercicios sobre la Encarnación: sobre la imagen de María y la decisión final de Sor Juana", en *Literatura Mexicana*, vol. 1, núm. 2, UNAM, México, 1990, pp. 349-371. Con más detenimiento deberían estudiarse las labores de mano referidas a la cocina; en la bibliografía del ya archicitado libro de Josefina Muriel se incluye una lista extensa de escritos religiosos femeninos con ese tema.

5. Citado por José L. Sánchez Lora, *Mujeres, conventos y formas de la religiosidad barroca*, Fundación Universitaria Española, Madrid, 1988, p. 50. Son numerosísimos los textos que propagan este lugar común, aún vigente; Sánchez Lora dedica un capítulo entero, nutrido de citas, para probarlo. Sobre este mismo tema puede ser aclaratorio el muy completo y sugerente estudio de Marina Warner, *Alone of all her Sex, The Myth and Cult of the Virgin Mary*, Picador Books, Londres, 1985.

6. Relación histórica de la fundación de este Convento de Nuestra Señora del Pilar, Compañía de María, llamada vulgarmente la *Enseñanza*, Imprenta

Felipe Zúñiga y Ontiveros, México, 1793, citado por Josefina Muriel, *Op.cit,* p. 81. Para Josefina Muriel, "La importancia de los confesores es muy grande, [...] porque ellos, para poder conocerlas mejor, les ordenaron que escribiesen sus experiencias, y a eso debemos la existencia de nuestra literatura mística (Cfr. nota 3). Sin embargo, ellos son responsables también de que no las conozcamos en forma total, ya que teniéndola completa, sólo publicaron las partes que les interesaron para sus biografías. Fue ese paternalismo clerical prepotente muy de época el que no dio valor literario a los escritos místicos femeninos y los refundió en el polvo de los archivos", (*Op. cit.,* p. 317).

7. *Ibid,* p. 81.

8. Sor Juana Inés de la Cruz, *O C*, Tomo IV, FCE, México, 1976, *Respuesta a Sor Filotea,* p. 446.

9. Muriel, *Op. cit.,* p. 53.

10. En Fray Sebastián de Santander y Torres, *Vida de la Venerable Madre María de San José, Religiosa Agustina Recoleta,* Sevilla, 1726, Citado por Jean Franco (p. 195), quien a su vez la tomó de la transcripción hecha por Myers, *Op. cit.*

11. Muriel, *Op. cit,* p. 51.

12. Juan Antonio de Oviedo, *Op. cit.* s.p. Véase también Andrés de Borda, *Práctica de confesores de monjas en que se explican los cuatro votos de Obediencia, Pobreza, Castidad y Clausura, por modo de Diálogo,* Francisco de Ribera Calderón, México, 1708.

13. Cfr. Santa Teresa de Ávila, *Libro de las fundaciones*, prólogo de José María Aguado, Espasa y Calpe, Madrid, 1950. Aguado explica: "Las fundaciones de Santa Teresa de Jesús comienzan con la de San José de la ciudad de Ávila, bien que el *Libro de las fundaciones* la omite por habérnosla dejado relatada como apéndice de la *Relación que de su vida y modo de oración* escribió para sus confesores", (p. 9). Es de notar que el rango de santa le confiere a Teresa un lugar excepcional: ella, como muchos de los confesores y autores de textos canónicos, se declara amanuense de Dios, de la misma manera en que implícitamente las monjas se declaraban amanuenses de su confesor.

14. Muriel, *Op. cit.*, p. 69. Aquí cabe hacer una digresión: Cuando la mexicana sor Juana Inés firma su famosa renuncia a las letras con las palabras "Yo, la peor de todas", no es evidentemente –como lo demuestra el ejemplo anterior y muchísimos otros que abundan en los textos de la época– la única monja

que fuera obligada por las circunstancias y los jesuitas a someterse a sus designios: se trata más bien, como ya lo decía en el texto, de una frase acuñada por la retórica de la época. Eso no altera el hecho de que, quizá, como otras monjas –Santa Teresa entre ellas–, Sor Juana tuvo que aceptar después de un largo periodo de rebeldía la dirección absoluta de su confesor sobre todos sus actos materiales y espirituales.

15. Cfr. Rodrigo Cánovas, *Op. cit.*

16. "La carta de Sor Juana al P. Núñez (1682)" en Antonio Alatorre, *Nueva revista de filología hispánica,* t. XXXV, núm. 2, 1987, pp. 591-673. El Colegio de México, 1987, pp. 620-621.

17. Es útil mencionar aquí un muy curioso sermón que se organiza en torno a esa figura retórica: *Sermón en la festividad de la presentación de Nuestra Señora que predicó el sábado 21 de noviembre de 1671 años en el Convento de Religiosas del Señor San Lorenzo de esta Corte el bachiller Don Ignacio de Santa Cruz Aldana*, Imprenta de Juan Ruiz, México, 1672. Subrayo las palabras siguientes: "Así es que, perfectamente retórica esta mujer entendida alaba el vientre de María y en él todas las prendas de esta Señora, *Synedoche est* (dice Maldonado), en que recibida la parte por el todo, son todas las prerrogativas de María las elogiadas, cuando es su vientre sólo el aplaudido...", p. 142. Cabe agregar que el mismo bachiller se queja, al dedicar su escrito a su Mecenas, Don Francisco de Soto Guzmán, de que, de ochocientos sermones pronunciados, sólo uno se le haya publicado, éste.

18. Cfr. Pilar Gonzalbo Aizpuru, *La educación popular de los jesuitas*, UI, México, 1989, cap. VI.

19. Citado por Muriel, p. 325.

20. Como ejemplo especial consultar: Antonio Núñez de Miranda, *Distribución de las Obras Ordinarias y Extraordinarias para hacerlas perfectamente, conforme al Estado de las Señoras Religiosas. Instruida con Doce Máximas sustanciales, para la vida regular y Espiritual, que deben seguir.* Viuda de Miguel Ribera Calderón, México, 1712.

21. *Aprobación del reverendísimo Padre Diego Calleja de la Compañía de Jesús o Vida de Sor Juana.* Edición facsimilar de Fredo Arias de la Canal (repr. según la reedición de Madrid, 1714). Frente de Afirmación Hispanista, A.C., México, 1989, s.f.

22. Muriel, *Op. cit.*, p. 80. Estos epítetos son verdaderamente un lugar

común y se aplican por igual a Sor Juana y a otras monjas destacadas. Jean Franco comenta "The priest clearly implies that the woman, like the silver hoarded in the ground, must be mined and made productive, and this task has properly been conferred upon the clergy", *Op.cit.*, p. 4.

23. Calleja, *Op.cit.*, s.f.

24. Sor Juana, en Alatorre, *Op. cit.*, p. 619. Esta hipótesis mía puede corroborarse con la que el Padre Diego Calleja escribió en su elegía a la muerte de Sor Juana y que a la letra dice: "De Carranza y Pacheco las lecciones / mostró saber, no menos, que si puntos / de cadeneta fuesen sus acciones" en Sor Juana, *Fama y obras póstumas*, *OC* p. 75. Hay que agregar que Jerónimo de Carranza y Luis Pacheco de Narváez escribieron dos libros sobre artes marciales, artes reservadas, naturalmente, a los hombres: La información proviene de Francisco de la Maza, *Sor Juana Inés de la Cruz ante la historia, Biografías antiguas. La Fama de 1700, (Noticias de 1667 a 1892)*, UNAM, México, 1980, p. 121. Es por lo menos curioso que Calleja haga esa asociación.

25. En *Tarde llega el desengaño*, citado en Sánchez Lora, *Op.cit.*, p. 84.

26. Electa Arenal y Stacey Schlau, *Op. cit.*, p. 363.

27. *Ibid.*

28. Muriel, *Op. cit.*, p. 331.

29. *Ibid*, p. 333.

30. Manuel Fernández de Santa Cruz, *Carta de Sor Filotea* en *OC* de Sor Juana Inés de la Cruz, vol. IV, p. 694.

### VII. LA DESTRUCCIÓN DEL CUERPO Y LA EDIFICACIÓN DEL SERMÓN. LA RAZÓN DE LA FÁBRICA: UN ENSAYO DE APROXIMACIÓN AL MUNDO DE SOR JUANA

1. Citado por Francisco de la Maza, *Catarina de San Juan, Princesa de la India y visionaria de Puebla*, Consejo Nacional para la Cultura y las Artes, México, 1990, p. 49.

2. Michel de Certeau, *La escritura de la historia*, UI, México, 1985, p. 187.

3. María Dolores Bravo, "Erotismo y represión en un texto del Padre Antonio Núñez de Miranda", en *Literatura Mexicana*, vol.1, núm.1, 1990, pp. 127-134.

4. Juan Antonio de Oviedo, *Los milagros de la cruz y maravillas del pade-*

cer. *Sermón que en las solemnes honras que el día 26 de abril de 1728 le hicieron a la V. M. Sor María Inés de los Dolores*, José Bernardo de Hogal, México, 1728. Salvo indicación especial, los subrayados son míos. Modernizo la ortografía de los textos antiguos.

5. Roland Barthes, *Sade, Loyola, Fourier*, Monte Ávila, Caracas, 1977, pp. 45-78.

6. Ignacio de Loyola, *Ejercicios espirituales*, *Obras completas* prologadas y comentadas por el P. Ignacio Iparraguirre, Bibioteca de Autores Cristianos, Madrid, 1963, p. 217.

7. "La enfermedad era un impedimento para permanecer en la clausura conventual. La decisión de permanecer o salir la tomaba la priora con la maestra de novicias antes de la profesión. Algunas de las religiosas preferían callar antes que ser expulsadas. Otra vez tenemos aquí el temor del rechazo y la vuelta a la sociedad, que de una manera u otra las señalaría como no aptas para Dios, y por lo mismo inútiles." Manuel Ramos Medina, *Imagen de santidad en un mundo profano*, UI, México, 1990, (pp. 146-148). cfr. Bynum, *Op. cit.*, pp. 165-167. Caroline Walker Bynum "The Female Body and Religious Practice in the Later Middle Ages", en *Fragmentation and Redemption, Essays on Gender and the Human Body in Medieval Religion*, Zone Books, Nueva York, 1991; ella advierte que la enfermedad atacaba a ambos sexos, pero "...these facts clearly indicate that the society found it more valuable to cure one sex than the other", (p. 167). Cfr. también José L. Sánchez Lora, *Mujeres, conventos y formas de la religiosidad barroca*, Fundación Universitaria Española, Madrid, 1988. Quizá una de las crisis de la enfermería actual sea el hecho de que estos modelos de edificación construidos sobre la enfermedad la del propio cuerpo disciplinado y el abnegado servicio hospitalario tradicionalmente operado por religiosas– son ya obsoletos.

8. Francisco de la Maza, *Op. cit.*, pp. 48-50. Hay que subrayar un dato obvio: varias mujeres medievales utilizaban métodos parecidos: véase el sugerente estudio de Carolyne Walker Bynum.

9. Santa Teresa de Jesús, *Camino de perfección*, cap. 15. 3, citado en Ramos, *Op. cit.*, p. 141.

10. Ver *Respuesta a Sor Filotea*: Para corroborar que participaba de la vida "mortificada" leer sus *Ejercicios para la Encarnación* y el texto que sobre este tema escribió Georgina Sabat-Rivers, "Ejercicios sobre la Encarnación:

sobre la imagen de María y la decisión final de Sor Juana", en *Literatura Mexicana*, vol. 1, núm. 2, UNAM, México, 1990, pp. 349-371.

11. Oviedo, *Op. cit.*, p. 2. Las alusiones a Sor Juana son definitivas: utiliza las metáforas que ella muy a menudo utilizó, entre ellas las de Ícaro y Faetonte que por querer alcanzar al sol se desbarrancan; alude por otra parte a los aplausos del vulgo y a su soberbia al no querer aceptar al pie de la letra los preceptos de su confesor, cosa a que se negó Sor Juana y a las que María Inés de los Dolores se conforma con placer, por lo que su ejemplo es perfecto, refleja su docilidad, su abnegación, su paciencia, y no la espantosa soberbia de Sor Juana.

12. Cfr. Ramos, *Op. cit.*; Véase también José L. Sánchez Lora, *Mujeres, conventos y formas de la religiosidad barroca.* Fundación Universitaria Española, Madrid, 1988.

13. Cfr. Jorge F. Hernández, *La soledad del silencio. Microhistoria del santuario de Atotonilco.* FCE, México, 1991.

14. Ramos, *Op.cit.*, pp.143 y 141-146. Cfr. Sánchez Lora, *Op.cit.*

15. Antonio Núñez de Miranda, *Plática doctrinal que hizo el P..., de la Compañía de Jesús; Rector del Colegio Máximo de S. Pedro, y San Pablo, Calificador del S. Oficio de la Inquisición; Prefecto de la Purísima, En la profesión de una señora religiosa del Convento de San Lorenzo*, Imprenta de la Viuda Calderón, México, 1679.

16. Las primeras páginas del sermón carecen de paginación. Modernizo la ortografía y la puntuación.

17. Sor Juana Inés de la Cruz, *OC*, 4 vols, FCE, Biblioteca Americana (edición de Alfonso Méndez Plancarte, tomos I, II y III; Tomo IV, edición de Alberto G. Salceda). T. I, *Lírica personal*, primera reimpresión, 1976. T. II, *Villancicos y Letras Sacras*, primera reimpresión, 1976. T. III, *Autos y Loas*. Primera edición, 1955. T. IV, *Comedias, Sainetes y Prosa*, primera reimpresión, México, 1976.

18. La paginación del sermón comienza aquí, *Op. cit.*, p. 1.

19. Véase Sánchez Lora, *Op. cit.*, cap. VIII y IX, pp. 359-453 y Michel de Certeau, "La combinación de los hechos, de los lugares y de los temas revela una estructura propia que no se refiere esencialmente a 'lo que pasó', como ocurre con la historia, sino a 'lo que es ejemplar'. Las *res gestae* no son sino un léxico. Debemos considerar cada 'vida de santo' más bien como un sistema

que organiza una manifestación (sic), gracias a una combinación topológica de 'virtudes' y de 'milagros'", (p. 288).

## VIII. DE NARCISO A NARCISO O DE TIRSO A SOR JUANA

1. Sor Juana Inés de la Cruz, *Los empeños de una casa*, en *OC*, t. IV, pp. 3-184.

2. Tirso de Molina (Fray Gabriel Téllez), *El vergonzoso en palacio*, en *Obras dramáticas completas*, ed. crítica de Blanca de los Ríos, Aguilar, Madrid, 1969, Tomo I, pp. 429-498. Todos los subrayados en esta obra y en la obra de Sor Juana son míos. El concepto de amor platónico en Tirso, como él mismo lo aclara en palabras de Antonio va mezclado con teorías de Aristóteles.

3. Georgina Sabat-Rivers, "Sor Juana: La tradición clásica del retrato poético", en *De la crónica a la nueva narrativa mexicana*, Julio Ortega y Merlin H. Forster ed., Oasis, México 1986, pp. 79-101. Georgina Sabat compendia varios de los conceptos filosóficos con que las nociones tradicionales de platonismo, aristotelismo y horacismo (valga la expresión), barajadas en la época, conforman varios estereotipos. Utiliza como referencia el libro de Jean H. Hagstrum, *The Sister Arts*, The University of Chicago Press, Chicago, Illinois, 1958. En *Las trampas de la fe*, Seix Barral, Madrid, 1982, pp. 304-322, Octavio Paz se refiere al retrato en Sor Juana y dice: "En Juana Inés la función de los espejos y los retratos es para ella también una filosofía y una moral. El espejo es el agente de transmutación del narcisismo infantil. Tránsito del autoerotismo a la contemplación de sí misma: por un proceso análogo al de la lectura, que convierte a la realidad en signos, el espejo hace del cuerpo un simulacro de reflejos. Por obra del espejo, el cuerpo se vuelve, simultáneamente, visible e intocable. Triunfo de los ojos sobre el tacto. En un segundo momento, la imagen del espejo se transforma en objeto de conocimiento. Del erotismo a la contemplación y de ésta a la crítica: el espejo y su doble, el retrato, son un teatro donde se opera la metamorfosis del mirar en saber. Un saber que es, para la sensibilidad barroca, un saber desengañado". Luego se ocupa fundamentalmente de los retratos concretos de Sor Juana, realizados durante su vida, y a la posibilidad de que, entre sus muchas habilidades, Sor Juana también pintara y hubiera hecho un autorretrato con la ayuda de un pincel y no sólo con la pluma, posibilidad que luego él mis-

mo contradice. Hace partir su tesis del Romance 19 que comienza: "Lo atrevido de un pincel / Filis, dio a mi pluma alientos" (*OC*. t. I, p. 54).

4. Fernando Soldevilla, *Compendio de literatura general y de historia de la literatura española*, Garnier, París, quinta edición, p. 14.

5. Georgina Sabat contabiliza dieciséis retratos femeninos en la obra de Sor Juana. No tengo espacio aquí para analizar este tema, pero me gustaría señalar que existen en Sor Juana muchos más ejemplos de retratos, aunque no se trate de composiciones líricas específicas como las que reseña Sabat; el retrato recién citado es apenas uno entre los muchos y el retrato que Leonor hace de sí misma es otro más. Añado otra aclaración: Leonor es alabada por otros personajes dentro de la comedia con el mismo tipo de metáforas con que se elogia a las mujeres en la lírica y la dramática de la época, incluida la de Sor Juana. Véanse por ejemplo los poemas dedicados a la Condesa de Paredes y en esta comedia lo que de ella dice Don Carlos: "Si en belleza es Sol Leonor, / ¿para qué afeites quería?", (p. 79).

6. Sobre el narcisismo hay una cantidad infinita de textos. Cito a Julia Kristeva, *Historias de amor*, Siglo XXI, México, 1987. Las teorías que Ludwig Pfandl desarrolla en su conocido libro denotan un prejuicio tan alejado de su objeto que prefiero no tomarlas en cuenta: *Sor Juana Inés de la Cruz, la Décima Musa de México, su vida, su poesía, su psique*, ed. y prólogo de Francisco de la Maza, trad. Juan Ortega y Medina, UNAM, México, 1963.

7. En su introducción a las obras de Tirso, Doña Blanca de los Ríos subraya constantemente la obsesión del dramaturgo por imaginar situaciones y personajes que retraten su propia vida, la de un bastardo, de origen noble probable, que se legitima a través de los actos y parlamentos de sus personajes. Véase por ejemplo esta caracterización que hace el pastor Mireno de su padre, el pastor Lauro: "...que debajo del sayal / que le sirve de corteza, / se encubre alguna nobleza / con que se honra Portugal"(p. 445). Sor Juana fue también ilegítima y, con mucha menor frecuencia que Tirso y más oblicuamente, suele plantear los problemas que esa situación le acarreaba.

8. "Aquí quisiera / no ser yo quien lo relato, / pues en callarlo o decirlo / dos inconvenientes hallo: / porque si digo que fui / celebrada por milagro / de discreción, me desmiente / la necedad de contarlo; / y si lo callo, no informo / de mí, y en un mismo caso / me desmiento si lo afirmo, / y lo ignoras si lo callo" (p. 37). La construcción o la "fábrica" de la obra es magnífica y tenemos

la suerte de que se haya conservado íntegra, además de que la propia Sor Juana haya escrito las loas, los sainetes, las letras y las fiestas. Gracias a ellas es posible advertir un hilo conductor que anuda dentro del cuerpo teatral, propiamente dicho, aquellos cabos y esos enigmas que los debates insertos en los sainetes dejan sueltos. Sería esencial emprender un trabajo textual más profundo de esta comedia, aunque quizá exista entre los incontables ensayos que sobre Sor Juana se escriben y se seguirán escribiendo, inmensa bibliografía de la que me declaro en parte ignorante. Sólo consigno los textos que sobre esta comedia se refieran al tema que desarrollo. Por su parte, Alberto G. Salceda, autor de las notas del tomo IV de las obras de Sor Juana, propone una tarea que debiera emprenderse, la definición de una teoría del Galanteo de Palacio, implícita en esta obra y definitoria de una actividad y un ceremonial cortesanos, quizá en parte novohispanos. Cfr. pp. XXIII, XXIV, XXV y XXVI. Entre los estudios recientes hay varias autoras que analizan *Los empeños*, cito algunos ejemplos, aunque en realidad no tocan la obra desde el punto de vista que yo analizo. Stephanie Merrim, "*Mores Geometricae*: The 'Womanscript' in the theatre of Sor Juana Inés de la Cruz", en Stephanie Merrim, ed., *Feminist perspectives on Sor Juana Inés de la Cruz*, Wayne University Press, Detroit, 1991; Sandra Messinger Cypess analiza en texto aún inédito los enredos del trasvestimiento; María Dolores Bravo, en *Teatro selecto de Sor Juana*, selección, introducción y notas (ensayo inédito) coincide en la necesidad de integrar e interrelacionar los sainetes, los saraos, las loas, las fiestas de esta obra a su parte esencial, la que explícitamente conocemos con el nombre de *Los empeños de una casa.*

9. Romance 51, intitulado *En reconocimiento a las inimitables Plumas de la Europa, que hicieron mayores sus Obras con sus elogios: que no se halló acabado*, p. 160.

10. Cfr. nota 7.

## IX. LAS FINEZAS DE SOR JUANA: LOA PARA *EL DIVINO NARCISO*

1. José de Acosta, *Historia Natural y Moral de las Indias,* Libro V. FCE, México, 1979, cap. 11, p. 235; Diego Durán, *Historia de las Indias de Nueva España,* Editorial Porrúa, México, 1967, Tomo I, cap. III, p. 33. La crónica de

Acosta, jesuita, circulaba en la Nueva España en tiempos de Sor Juana, no así la de Durán, dominico.

2. Las citas de Sor Juana provienen de la edición de las *OC*, México, ed. cit., t. III, p. 3.

3. Véase Juan de Torquemada, *Monarquía indiana,* UNAM, México, 1975-1983. 7 vols. (Ed. preparada por el Seminario para el estudio de fuente de tradición indígena, bajo la coordinación de Miguel León-Portilla.)

4. Jerónimo de Mendieta, *Historia eclesiástica indiana,* México, Salvador Chávez Hayhoe, 1945

5. Cfr. Georges Baudot, *Utopía e Historia en México,* Espasa-Calpe, Madrid, 1983.

6. Bernal Díaz del Castillo, *Historia Verdadera de la Conquista de la Nueva España,* Editorial Patria, México, 1983, p.155.

7. Bartolomé de las Casas, *Historia de las Indias,* FCE, México, 1976.

8. Juan López de Palacios Rubios, *De las Islas del Mar Océano,* México, FCE, 1954. En su prólogo a esta edición Silvio Zavala sintetiza el Requerimiento: "En efecto, brevemente debía exponer el Capitán a los indios, que Dios creó el cielo y la tierra y la pareja original; la numerosa generación habida a partir de entonces obligó a los hombres a dispersarse por reinos y provincias; Cristo encargó a San Pedro que fuese señor y superior de todos los hombres del mundo y [...] le permitió también estar en cualquier otra parte del mundo y juzgar y gobernar a cristianos, moros, judíos, gentiles y gentes de cualquier otra secta. Uno de estos pontífices, como señor del mundo, donó las islas y tierra firme del Mar Océano a los reyes de España. Las gentes a quienes esto se ha notificado, sin resistencia han obedecido y recibido a los predicadores, y voluntariamente se han tornado cristianos, y sus altezas los han recibido benignamente y tratado como a sus otros súbditos. Los nuevamente requeridos deben hacer lo mismo. El Capitán les requiere que entiendan bien lo dicho, tomen para deliberar el tiempo justo y reconozcan a la Iglesia por señora universal, al papa en su nombre, y en su lugar a los reyes españoles [...] Si lo hacen, se les recibirá con amor y caridad... Si no acceden o dilatan maliciosamente la respuesta, el Capitán les hará la guerra y los sujetará al yugo de la Iglesia y de los reyes, los esclavizará, así como a sus mujeres y a sus hijos, y los venderá,..." p. CXXV. En unos cuantos versos, Sor Juana sintetiza admirablemente lo anteriormente citado. La arbitrariedad del procedimiento no es-

capaba ni a los más fervientes partidarios de la conquista. En el mismo prólogo, Zavala incluye un fragmento de Gonzalo Fernández de Oviedo: "Yo pregunté, después, el año de 1516, al doctor Palacios Rubios si quedaba satisfecha la conciencia de los cristianos con aquel requerimiento, e díjome que sí, si se hiciese como el requerimiento dice, Mas paréceme que se reía muchas veces cuando yo le contaba lo de esta jornada y otras que algunos capitanes después habían hecho; y mucho más me pudiera reír yo de él y de sus letras... si pensaba que lo que dice aquel requerimiento lo habían de entender los indios sin discurso de años y tiempo". Es posible que Sor Juana fuese también de quienes se reían de ese procedimiento, como se desprende quizá de la loa.

9. Éste es un viejo tópico medieval, lo documenta Ángel Valbuena Prat en su prólogo a las *Obras completas* de Calderón, Aguilar, Madrid, Tomo III, pp. 72-74.

10. A este respecto Méndez Plancarte (*OC*, p. 506), cita en sus notas a Francico de Vitoria y a otros teólogos "quienes no reconocen como justos títulos para la guerra contra los infieles, ni la infidelidad, ni la idolatría, ni el castigo de sus crímenes, ni ninguna 'donación' del Pontífice (que no puede dar lo que no es suyo). Pero si admiten la intervención armada para la protección de los inocentes tiranizados (como a menudo lo eran las víctimas de los sacrificios humanos)...".

11. Antonio Alatorre, "La carta de sor Juana al P. Núñez (1682)" *Nueva Revista de filología hispánica*, Tomo XXXV, núm. 2, El Colegio de México, 1987, pp. 591-673.

12. Cfr. notas de Méndez Plancarte a la loa en *OC*.

13. Cfr. Torquemada, *Op.cit.*, vol. 1, p. XIV. No está de más recordar que aunque las *Cartas de relación* de Cortés fueron prohibidas desde 1527, circularon ampliamente en Europa; mucha de la información allí recopilada era patrimonio también de otros conquistadores, sin embargo, hay que señalar que el primero en describir al Dios de las semillas fue Cortés, dato que no ha sido tomado en cuenta que yo sepa, por quienes han trabajado este tema: En la segunda *Carta* de relación leemos: "Los bultos y los cuerpos de los ídolos en quien estas gentes creen, son de muy mayores estaturas que el cuerpo de un gran hombre. Son hechos de masa de todas las semillas y legumbres que ellos comen, molidas y mezcladas unas con otras, y amásanlas con sangre de corazones de cuerpos humanos, los cuales abren por los pechos, vivos, y les sacan

el corazón, y de aquella sangre que sale de él, amasan aquella harina, y así hacen tanta cantidad cuanta basta para hacer aquellas estatuas grandes", *Cartas de Relación,* Editorial Porrúa, México, 1976, p. 65.

14. Ver Las Casas, *Op. cit.,* y *Apologética historia de las Indias,* Instituto de Investigaciones Históricas, México, 1967.

15. Ver el capítulo que Marie–Cécile Bennasy–Berling le dedica a esta Loa en *Humanismo y religión en Sor Juana Inés de la Cruz:* "Sor Juana y los indios", UNAM, México, 1983, especialmente p. 321.

16. Cfr. *OC*, p. 504. En Torquemada se indica que a ese ídolo hecho de alegría se le llamaba "manjar de nuestra vida".

17. *Ibid.* p. 509.

18. Es útil confrontar el ya muy trillado pasaje, citado por Calleja: "Pues queriendo el Virrey que la examinasen hombres doctos, convocó en su palacio a todos los profesores universitarios con otros varones afamados por su saber, ante los cuales compareció y 'a la manera, le decía el mismo Virrey al P. Diego Calleja, que un galeón real se defendería de pocas chalupas que lo embistieran, así se desembarazaba Sor Juana Inés de las preguntas, argumentos y réplicas que tantos y cada uno en su clase le propusieron". *Véase* Aprobación de Calleja en Sor Juana, *Fama y obras póstumas,* Madrid, 1714, s. f.

19. En la carta arriba citada, varios de los ejemplos en que se apoya para demostrarle al Padre Núñez su derecho al albedrío y mediante él a la sabiduría, como camino de santidad, son algunos de los escritores grecolatinos clásicos, junto con los padres de la iglesia, y algunas madres como Santa Paula, Santa Catalina y Santa Gertrudis.

20. Debo añadir que la polémica en este punto es grande: Ricard, uno de los más famosos estudiosos modernos de la obra misionera en México, niega, por su parte, que los frailes del siglo XVI hubiesen aprovechado las analogías entre la religión azteca y la cristiana para su labor evangelizadora, antes bien esas mismas analogías fueron consideradas, como ya se apuntaba más arriba, estrategias del demonio. Robert Ricard, *La conquista espiritual de México,* FCE, México, 1986, pp. 96-108. Para corroborar lo dicho puede utilizarse como ejemplo un texto de Sahagún, citado por Ricard: "Necesario fue destruir todas las cosas idolátricas, y todos los edificios idolátricos, y aún las costumbres de la república que estaban mezcladas con ritos de idolatría y acompañadas de ceremonias idolátricas, lo cual había casi en todas las costumbres

que tenían en la república con que se regía, y por esta causa fue necesario desbaratarlo todo y ponerles otra manera de policía, que no tuviese resabios de idolatría" (p. 104). En cambio, Octavio Paz, en *Las trampas de la Fe*, subraya la importancia que para el periodo barroco tiene el sincretismo religioso, y por ende, las analogías entre diversas religiones: "El siglo XVII novohispano fue un siglo marcado por la influencia intelectual de los jesuitas. El sincretismo de la tradición hermética [...] se adaptaba admirablemente a su proyecto de conversación espiritual *por arriba*. Este sincretismo permitía la revalorización o, más bien, la "redención" de las antiguas religiones nacionales, ya fuese la de los druidas para los descendientes de los galos, la de Confucio para los chinos o la de Quetzalcóatl para los mexicanos", Seix Barral, Barcelona, 1982, p. 461. Existe además un texto,aún inédito, escrito por Georgina Sabat–Rivers: "Apología de América y del mundo en tres loas de Sor Juana"; aparecerá en *Revista de estudios hispánicos*, San Juan, Puerto Rico, en un número dedicado al "Encuentro de culturas", coord. Mercedes López Baralt, 1992.

## X. ECO Y SILENCIO EN *EL DIVINO NARCISO*

1. Sor Juana Inés de la Cruz, *Respuesta a Sor Filotea* en *OC* , t. IV.
2. Luis Mario Schneider, ed., *México en la obra de Octavio Paz*, Promexa, México, 1987, p. 191. Mabel Moraña (Universidad de Southern California) prepara un texto sobre la retórica del silencio en Sor Juana.
3. Sor Juana Inés de la Cruz, *OC*, t. IV.
4. Sor Juana Inés de la Cruz, *El Divino Narciso*, auto sacramental, *OC*, 4 vol., FCE, Biblioteca Americana (edición de Alfonso Méndez Plancarte), México s.f., t. III, p. 64.
5. Marie–Cécile Bénassy–Berling, *Op. cit.*, p. 374.
6. Ludwig Pfandl, *Sor Juana Inés de la Cruz, la décima musa de México, su vida, su poesía, su psique,* (edición y prólogo de Francisco de la Maza, traducción de Juan Ortega y Medina), UNAM, México, 1963.
7. Octavio Paz, *Sor Juana Inés de la Cruz* o *Las trampas de la fe*, FCE, tercera reimpresión, México, 1990, p. 463.
8. "Tanto en lo profano de su escena cuanto en lo religioso, la monja asume una actitud tan elaborada, tan establecida en sus principios, que su es-

cribir es, por así decirlo, un ritual en donde la metáfora aparece como el empíreo de su universo literario. En Sor Juana no es, como en Góngora, la torre de marfil que permite al poeta la comunicación con un lector hipotético, lujoso, ideal, que protege al poema de toda contaminación profana, o sea aquella que, rompiendo la cárcel de la nuez con un público no elegido, privara a la pulpa de su prodigioso hermetismo. En Sor Juana, la metáfora sería la única forma de transgredir, en forma pleonástica, el mundo literario para llegar a la verdadera realidad, o sea ese mismo mundo literario en su actitud más tensa, más plena, más ambiciosa también, porque sólo así el "curioso" –como ella lo llama– aunque en lo leve venteará otras realidades, ya no literarias, que sólo una meta-literatura es capaz de expresar: el mundo suprarreal –ya religioso, ya humano-alegórico– que lo mismo aparece escondido en *Los empeños de una casa*, que escondido, brota como una aparición en cualquiera de sus piezas religiosas; o que (en una tercera posibilidad), mezclado, logra una admirable simbiosis en obras híbridas como *El divino Narciso*, que quizá sea de todos el auto sacramental más sensual, más agresivamente erótico hasta hoy escrito", Sergio Fernández *Op. cit.*, p. 141-142.

9. Cfr. Stephanie Merrim, "Mores Geometricae: The Woamnscript in the Theatre of Sor Juana Inés de la Cruz", en S. Merrim, ed., *Feminist Perspectives on Sor Juana Inés de la Cruz*, Wayne University Press, Detroit, 1991; Electa Arenal, "Sor Juana Inés de la Cruz: Speaking the Mother Tongue" en *University of Dayton Review*, vol. 16, núm. 2, primavera, 1983; Electa Eranal y Stacey Schlau, *Untold Sisters (Hispanic Nuns in Their own Works)*, Translation by Amanda Powell, University of New Mexico Press, Albuquerque, 1989

10. Citado por Manuel Ramos, *Op. cit.*, p. 123 (del manuscrito *Vida de algunas religiosas primitivas de San José*, p. 131).

11. De Certeau, *Op. cit.*, p. 11, traducción mía.

12. Raymundo Lumbier, *Destierro de ignorancias, fragmento aúreo, preciosísimo de la juiciosa erudición moral del doctísimo y religiosísimo* P.M. Fr.., dalo a la estampa por orden y con mandato de su Ilustrísima el Señor Arzobispo en obsequio de las señoras religiosas, alivio de sus pp. capellanes y consuelo de todos sus confesores, el Padre Prefecto de la Purísima y su Illma conceden 40 días de indulgencia a cualquiera persona de los interesados en la materia por cada vez que leyere algún párrafo destos, conque todos siete montan doscientas y ochenta días de indulgencia. Imprenta de Joseph Guillena

Carascoso, México, 1694; cfr. también Alatorre, (*Op. cit.*) Ningún acto de escritura es gratuito, tiene un efecto y se regula según una economía perfectamente establecida, además, hay un elemento que considerar y de la mayor trascendencia: la escritura modifica la conducta, es algo concreto, definitivo pues regula las actividades, moldea los cuerpos y las almas y "sanea" la conducta, remedia la "tibieza" y subsana "el torpe olvido" en que se ha tenido a Dios por ocuparse del mundo.

13. Diego Calleja, en *Fama y obras póstumas del Fénix de México,* (impr. de Manuel Ruiz de Murga, Madrid, 1700, s.f.

14. Cfr. Georgina Sabat, art. cit.

15. Recuérdese la alharaca que se produjo y la publicidad que Núñez de Miranda le dio a la profesión, cuando la joven Juana Inés entró al monasterio de San Jerónimo: Así lo relata Juan de Oviedo: "... en donde con intervención y asistencia del Padre Antonio tomó el hábito, y profesó, corriendo la fiesta de este día por cuenta del Padre, sin perdonar a gasto alguno, convidando para la fiesta a lo más granado e ilustre de los cabildos eclesiástico y secular, sagradas religiones y nobleza de México y él mismo, la víspera de la profesión, sin atender a su mucha autoridad, se puso a componer por sus manos las luminarias...", *Op. cit.*, p. 134.

ÍNDICE

De *Borrones y borradores* de Margo Glantz se tiraron dos mil ejemplares. La composición es del Taller del Equilibrista. Se terminó de imprimir en los talleres de R.R. Donnelley & Sons, Harrisonburg, Virginia, el día treinta de noviembre de mil novecientos noventa y dos. El diseño de la cubierta es de Armando Hatzacorsian